BERLIN IN PANORAMEN

TORSTEN ANDREAS HOFFMANN

BERLIN IN PANORAMEN

nicolai

Bildlegenden: Antonia Meiners, Berlin
Übersetzungen: Kate Sturge (Englisch)
Tatjana Labossière (Französisch)
Dankwart Northe (Spanisch)
Karen Serafini (Italienisch)

Repros: Mega-Satz-Service, Berlin
Druck: Aumüller KG, Regensburg
Bindung: Lüderitz & Bauer, Berlin

Printed in Germany

ISBN 3-87584-162-X

Vorwort von Lothar Heinke

Es ist wohl einmalig auf der Welt, dass auf einem »Hohen Haus«, in dem die Vertreter des Volkes tagen, eine Aussichtsplattform zu beschaulichem Rundblick einlädt. Ohne einen Cent Eintritt darf jeder an dieser Attraktion teilhaben. Das monumentale Neorenaissance-Gebäude des Deutschen Reichstags mit der Inschrift »Dem deutschen Volke« wurde zwischen 1884 und 1894 von Paul Wallot erbaut, brannte 1933 aus, wurde im Zweiten Weltkrieg zerstört, wieder errichtet und schließlich als Sitz des Deutschen Bundestages von Architekt Lord Norman Foster mit einer Glaskuppel gekrönt. In ihrem Innern gelangt man auf einem spiralförmigen Weg bis zum höchsten Punkt. Und dort erwartet uns nicht nur ein Blick auf den nahe gelegenen, wuchtig-hellen Neubau des Bundeskanzleramtes, sondern ein umfassendes Panorama von Berlin – eine Faszination besonderer Art.

Wir begreifen, dass auch heutzutage gültig ist, was der Feuilletonist Karl Scheffler schon im Jahr 1910 geschrieben hatte: Berlin ist dazu verurteilt, immer nur zu werden, aber nie zu sein. Ganz vorn sehen wir als erstes Kräne, ringsum Kräne aller Art und Größe. Sie stehen in der City, ragen über das Unfertige hinaus, bewegen ihre Lasten vom frühen Morgen bis in die dunkle Nacht – Kräne als Symbol des Werdens, der Erneuerung, einer nie enden wollenden Betriebsamkeit.

Im Jahr 1945, nach dem Ende des Zweiten Weltkriegs und der zwölfjährigen Herrschaft des Nationalsozialismus, waren von den 1,5 Millionen Wohnungen in Berlin 600 000 total zerstört und 100 000 schwer beschädigt. Von rund 245 000 Gebäuden hatte der Krieg ein Fünftel so stark in Mitleidenschaft gezogen, dass sie nicht wieder aufgebaut werden konnten. Den Baumeistern und Architekten boten sich also viele Möglichkeiten für Experimente. In den folgenden Jahrzehnten versuchte denn auch jede Stadthälfte auf ihre Weise, »schön« oder »modern« zu sein.

Bekanntlich trennte seit 1961 eine von der DDR errichtete Mauer die westlichen von den östlichen Bezirken. West-Berlin war das Schaufenster der Bundesrepublik zum Osten hin, Ost-Berlin, das den Titel »Hauptstadt der DDR« trug, sollte eines gen Westen sein. Diese merkwürdige Situation dauerte von 1961 bis zum Fall der Mauer am 9. November 1989. 28 Jahre waren die Nervenstränge der Stadt durchschnitten. Die Bewohner lebten im Schatten der Mauer. Sie hatten sich mit diesem unnatürlichen Zustand arrangiert. Akzeptiert aber hatten sie ihn nie.

Auf den Fotografien in diesem Buch ist von der einstigen Teilung der Stadt durch Mauer, Stacheldraht und »Todesstreifen« nichts mehr zu sehen. Sie zeigen eine neue Stadtlandschaft – Gebäude, Parks, Denkmäler, Seen, Museen. Und die Spree, die sich so freundlich und mild durch die Stadt schlängelt, vorbei an den Sehenswürdigkeiten, die die Fremdenführer auf den Ausflugsschiffen ihrem Publikum wortreich erklären.

Über all dem schwebt die Kugel des Fernsehturms. Der 26 000 Tonnen schwere TV-Tower, von dem aus mehrere Radio- und Fernsehprogramme gesendet werden, ist mit 368 Metern das höchste Bauwerk Berlins. Es war 1969 anlässlich des 20. Jahrestages der DDR eingeweiht worden. Zwei schnelle Aufzüge bringen den Besucher direkt in die 4 800 Tonnen schwere silberne Kugel. Nach 40 Sekunden Fahrt steigt er aus und steht staunend im Aussichtsgeschoss. Dort oben, in 203 Meter Höhe, liegt ihm die Stadt zu Füßen, und im 207 Meter hohen Dreh-Restaurant kann er dann gemütlich in 30 Minuten die gesamte Stadtlandschaft an sich vorbeiziehen lassen. Durch die riesigen Scheiben genießt er die Vogelperspektive mit dem grandiosesten Rundumblick, den Berlin zu bieten hat.

Eine große, weitläufige 3,5-Millionen-Stadt! Sie scheint kein Ende zu nehmen, dehnt sich bis zum Horizont aus – ein Blick, fesselnd vor allem am Abend, fast so wie aus dem Flugzeug, das lange Minuten vor der Landung über Tegel kreist: Erst die Unendlichkeit der Lichterketten, der verwirrend blinkenden Perlenschnüre, dann die Einzelheiten: breite Magistralen, dunkle Parks, erleuchtete Plätze, Stadtbahnen, die sich durch das Lichtermeer schlängeln. Aus dieser Perspektive ist die Stadt ein einziges großes Ganzes, eine heile, stattliche Welt für sich. Ahnen wir in solchen Augenblicken, was da unten in den letzten Jahren vor sich gegangen ist? Willy Brandt, einst Berlins Regierender Bürgermeister und später Bundeskanzler, prophezeite am 9. November 1989: »Jetzt wächst zusammen, was zusammen gehört«.

Und das geschieht – bis zum heutigen Tag. Es war eine große Leistung, aus zwei willkürlich voneinander getrennten Städten wieder eine einheitliche Hauptstadt zu machen. Mit großem Aufwand wurden die alten, nach 1961 zerrissenen Verkehrsverbindungen wieder neu geknüpft. Oder das Fernsprechnetz: Nur mit viel Mühe und Ausdauer konnte früher von Ost nach West und von West nach Ost telefoniert werden. Heute rühmt sich Berlin eines modernen Kommunikationssystems, nachdem die halbe Stadt aufgewühlt wurde, um die notwendigen Kabel zu verlegen. Auch Strom und Heizungswärme fließen längst wieder wie die Spree ungehindert durch die ganze Stadt.

Die Teilung hat den Berlinern so manche Duplizität beschert: Im Westen gab es die Flughäfen Tegel und Tempelhof, der Osten baute Berlin-Schönefeld zum Zentralflughafen der DDR aus. Es gibt die Alte und die Neue Nationalgalerie, die eine auf der Museumsinsel – gerade nach dreijähriger Restaurierung im »Stammhaus« wiedereröffnet –, die andere im Kulturforum nahe der Philharmonie. Berlin hat mehrere Sinfonieorchester, Kraftwerke, Trabrennbahnen, Fußballstadien, Bibliotheken und Universitäten. In den Jahren der Teilung wollte man wechselseitig immer das haben, was auch der andere besaß: Kunstakademien, Kunsthochschulen, große Veranstaltungssäle, Kliniken. Die vom Baumeister Georg Wenzeslaus von Knobelsdorff im 18. Jahrhundert entworfene, im Krieg zerstörte und in den fünfziger Jahren wiedererbaute Deutsche Staatsoper stand Unter den Linden, also im Osten. Folglich musste im Westen die Deutsche Oper gebaut werden. Im über hundert Jahre alten, traditionsreichen Berliner Zoo lebten die Tiere des Westens – da der Osten auch seine Arche Noah brauchte, baute man dort den weitläufigen Tierpark in Friedrichsfelde. Und heute erweist sich diese Duplizität als Segen: Die Institutionen beider Teile der Millionenstadt werden ausgiebig genutzt.

1991, zwei Jahre nach dem Mauerfall, war es eine Sensation, als eine neue Gesamtberliner Omnibuslinie in Betrieb genommen wurde. Seither hat sich der Bus mit der Nummer »100«, der die Strecke vom Bahnhof Zoo (West) bis hinter den östlichen Alexanderplatz bedient, als große Touristenattraktion bewährt. Wer die Stadt durch die Panoramasichtscheibe des Oberdecks kennen lernen möchte, löst einen Fahrschein und fährt an den wichtigsten Sehenswürdigkeiten vorbei. Inzwischen hat diese Linie Nachwuchs bekommen: Auch im »200«er Bus kann eine interessante Stadtrundfahrt unternommen werden, unter anderem mitten über den Potsdamer Platz. Der in den zwanziger Jahren belebteste Platz Berlins lag nach dem Krieg in Trümmern, und während der Zeit der Spaltung stand dort nur noch ein Haus nahe der Mauer, inmitten von Panzersperren, Wachtürmen und Stacheldraht. Niemand hätte der Brachlandschaft an der Grenze, auf der sich Berliner Wildkaninchen besonders wohl zu fühlen schienen, eine Chance gegeben. Und dennoch: Auch dieses Areal wurde nach der Wiedervereinigung der Stadt neu geboren. Beiderseits der Potsdamer Straße wuchs eine eigene City. DaimlerChrysler baute seine Hochhäuser, ein Musical-Theater am Marlene-Dietrich-Platz, Kinos, Restaurants und Einkaufspassagen auf die südliche Hälfte; gegenüber ließ Sony spektakulär den denkmalgeschützten Kaisersaal des Hotels Esplanade 75 Meter weit verschieben, um Platz für ein gläsernes Hochhaus – die Zentrale der Deutschen Bahn – zu schaffen. Beide Teile des neuen Platzes haben ihre eigenen Zentren, bei Sony ist die Piazza mit einem riesigen Zelt aus

Glas und Stahl überdacht. Der Potsdamer Platz ist der erste neu entstandene Ort, an dem sich ganz Berlin trifft und wo niemand mehr fragt, ob er sich gerade im Osten oder Westen befindet. Der Platz ist Berlin.

Reizvoll für Gäste und Bewohner der Stadt gleichermaßen ist das Nebeneinander von Alt und Neu, das einem überall in der Mitte Berlins begegnet. Zum Beispiel bei einem Spaziergang vom Reichstagsgebäude zur viel besungenen Straße Unter den Linden. Auf dem Weg das wohl bekannteste Wahrzeichen Berlins, das Brandenburger Tor. Carl Gotthard Langhans hat den monumentalen klassizistischen Torbau nach dem Vorbild der Athener Propyläen Ende des 18. Jahrhunderts erbaut. Die Quadriga, ein Werk des Bildhauers Johann Gottfried Schadow, krönt die Attika. Das einstige Stadttor, dessen größere mittlere Durchfahrt früher Kaiser und Königen vorbehalten war, ist das einzige architektonische Überbleibsel aus alten Zeiten. Alle anderen Gebäude auf dem Pariser Platz, einst die »gute Stube der Hauptstadt«, sind neueren Datums, da nach dem Zweiten Weltkrieg auch dieser Platz zerstört war. Das weltberühmte Hotel Adlon an der südlichen Ecke hatte seit seiner Eröffnung im Jahr 1907 bis zu dem verheerenden Brand im Frühjahr 1945 zu den nobelsten Hotels in Europa gezählt. Von Kaiser Wilhelm II. bis zum Filmstar Charlie Chaplin, von Politikern und Diplomaten bis zu Künstlern und Wissenschaftlern – alles, was Rang und Namen hatte, logierte hier und blickte auf den Pariser Platz mit Bankgebäuden, Botschaften und dem Wohnhaus Max Liebermanns direkt neben dem Brandenburger Tor. Nachdem die Ruinen des Hotels abgerissen waren, lag dieser Platz viele Jahre brach. Die Adlon-Erben verweigerten sich allen Wünschen, es an einem anderen Ort aufzubauen. Erst wenn es die politischen Verhältnisse möglich machten, sollte das Haus an gleicher Stelle wiedererstehen. So geschah es: Zwischen 1995 und 1997 wurde dort das neue Adlon errichtet, in einer der Tradition verpflichteten Architektur, die – wenn auch unter Kunsthistorikern umstritten – bei den Gästen auf große Zustimmung stößt. Sie kommen gern und lassen sich vom gepflegten Ambiente dieses Hotels der Luxusklasse verzaubern.

Das Thema Alt-Neu variiert auch der Gendarmenmarkt, von dem es heißt, er sei einer der schönsten Plätze Europas. Zwischen den beiden Kuppelbauten des Deutschen und des Französischen Doms steht wieder das von Baumeister Karl Friedrich Schinkel Anfang des 19. Jahrhunderts entworfene, klassisch schöne Schauspielhaus (heute Konzerthaus) als »Weltkind in der Mitten«. Alle Bauwerke auf diesem Platz waren zerstört und wurden in den achtziger Jahren nach den historischen Vorbildern wiedererrichtet. Gleich um die Ecke verläuft schnurgerade von Nord nach Süd die Friedrichstraße: Auch sie ist ein Beispiel für den Aufschwung, den die City Berlins in den letzten zehn Jahren als »Labor der Einheit« genommen hat. Und eine S-Bahn-Station entfernt betreten wir mit den Hackeschen Höfen ein für das alte Berlin typisches Gewerbegebiet, in dem früher hauptsächlich gewohnt und gearbeitet wurde. Heute, nach der Sanierung, sind die Höfe mit ihren Geschäften, Galerien und Restaurants ein beliebtes Ziel für Touristen – ebenso populär wie die Reichstagskuppel, wo sich dem Besucher die einzigartige Sicht auf das Panorama Berlins eröffnet: sozusagen Auge in Auge mit den Dächern der Stadt, in der dank gesetzlich festgelegter Traufhöhe Altes und Neues zu einer fast gleichmäßigen Ebene verschmolzen scheint. Eine Stadt, in der nicht wie in Frankfurt am Main, New York oder Chicago mit ihren himmelwärts gerichteten Bauten vertikale, sondern horizontale Linien den Blick fixieren. Für den Fotografen Torsten Andreas Hoffmann war gerade das eine Herausforderung, sich mit der Panorama-Kamera auf die Suche zu machen nach der facettenreichen und schillernden Bilderwelt einer neuen Hauptstadt.

Preface by Lothar Heinke

There can't be many houses of representatives in the world which invite the public up onto the roof to enjoy a view of the city below. The *Reichstag* in Berlin does just that, and the attraction doesn't cost a cent. This monumental neo-renaissance edifice, dedicated "To The German People", was built by Paul Wallot between 1884 and 1894. It burned down in 1933, suffered severe damage in the Second World War, was restored and finally, crowned with a glass dome by architect Lord Norman Foster, became the seat of the German Federal Parliament.
Inside the dome a spiral pathway leads up to the highest point. From there you can see the pale mass of the newly-built Federal Chancellery nearby, but even more fascinating is the sweeping panorama of Berlin.
Looking out from the dome, you realise that writer Karl Scheffler's bon mot of 1910 has lost none of its relevance today: Berlin is condemned always to "become", never to "be". The first thing that meets the eye are the inevitable cranes – cranes in every direction and of every possible shape and size. Towering above the half-finished buildings in the city centre, moving their loads from dawn to after dusk, these cranes are a symbol of Berlin's becoming, renewal, and never-ending activity.
In 1945 the Second World War and the twelve-year Nazi dictatorship came to an end. 600,000 of Berlin's 1.5 million apartments had been totally destroyed and another 100,000 seriously damaged. Of the roughly 245,000 buildings in the city, the war had affected one fifth so badly that they were past repair. In a situation like that, builders and architects had plenty of scope for experiment. They made the most of it: in the decades that followed, each half of the divided city tried hard in its own way to be "beautiful" or "modern".
When East Germany put up the Berlin Wall in 1961, the city's western districts were cut off from its eastern ones. The western half was the "shop-window" West Germany presented to the east, while East Berlin, now entitled "capital of the German Democratic Republic", was supposed to fulfil the same function towards the west. This strange situation continued for 28 years, until the Wall came down on 9 November 1989. Those were years when the very nerve-fibres of the city were snapped in half. Berliners lived in the shadow of the Wall, but though they may have become used to the unnatural state of affairs, they never accepted it.
In the photographs in this book, there's nothing to be seen of the old division of the city by concrete, barbed wire and mined death strips. Instead, they show a new cityscape with its buildings, parks, monuments, lakes, museums – and the River Spree, winding its amiable and gentle way through Berlin, past the sights that the excursion boat guides are explaining to their audience of tourists.
Above all this floats the silver sphere of the Television Tower. The 26,000-tonne tower is used by several radio and TV channels and, at 368 metres, is Berlin's tallest building. It was opened in 1969 to mark the twentieth anniversary of the East German state. Two high-speed elevators carry visitors directly up to the 4,800-tonne sphere at the top. After a 40-second journey, arriving at the viewing level is an astonishing experience. There, 203 metres above *Alexanderplatz*, the city lies at your feet; a few metres higher still you can watch the whole city drift gently by from the comfort of the revolving restaurant. Through the large windows is the most magnificent panorama Berlin has to offer.
What you see is a great city, home to three and a half million people. It never seems never to end, stretching as far as the eye can see – and the sight is most absorbing after dark. At night it's like the view from a plane circling above

Tegel for a few wonderful minutes before landing. The first impression is the mass of bewildering, endless chains of light like glittering beads, then the details: broad boulevards, dark gardens, illuminated piazzas, city railways snaking through the sea of lights. From this perspective the city is one big unit, an imposing, untouched world of its own.

At a moment like that it may be difficult to remember what has been going on down on the ground over the last few years. On 9 November 1989, Willy Brandt, once West Berlin's governing mayor and later Federal Chancellor, prophesied that "Now what belongs together will grow together". That's precisely what has been happening, right up to the present day.

The task of making two arbitrarily separated cities into a unified capital was a huge one. At great expense, the old transport links severed after 1961 were reconnected. As for the telephone system, calling from east to west or west to east used to be a very laborious matter, but today Berlin boasts a modern communications network – even if half the city had to be dug up first to lay the cables. Electricity and heat have long since been able to flow as freely as the Spree right through the city.

Berlin's division often meant the duplication of services. In the west there were two airports, Tegel and Tempelhof, while in the east Schönefeld was expanded to become East Germany's central airport. Berliners have the Old and the New National Gallery, one on the Museum Island – now reopened in its original building after three years of restoration work – and the other in the *Kulturforum* ("Culture Forum") near the Philharmonia. Berlin has several symphony orchestras, several power stations, several racecourses, football stadiums, research libraries and universities. In the years of division, each side wanted what the other side had, whether academies, art colleges, prestigious venues or clinics. The German State Opera, designed by Georg Wenzeslaus von Knobelsdorff in the eighteenth century, destroyed in the war and rebuilt in the 1950s, was on *Unter den Linden* – in the east. That meant the west had to build its own version, the *Deutsche Oper* (German Opera). The west's elephants lived in the Berlin Zoo, over a century old and rich with tradition – so the east had to have its own Noah's Ark, the spacious Tierpark in *Friedrichsfelde*. Today, the advantages of this doubling-up are clear, and Berliners make full use of the infrastructure in both halves of their metropolis.

In 1991, two years after the Wall came down, the bus company caused a sensation when a new, all-Berlin bus route was introduced. Since then, the popular Number 100 bus has been going from *Bahnhof Zoo* in the west to beyond the east's *Alexanderplatz*, and is a favourite tourist attraction. An ordinary ticket is enough to take visitors on a top-deck tour of the city's most important sights. Nowadays this bus has a companion: the Number 200 also offers interesting views of the city, including the route right through *Potsdamer Platz*. This square, Berlin's busiest in the 1920s, was reduced to rubble by the war. During the Cold War era it had just one building left, an old house near the Wall surrounded by anti-tank blockades, watchtowers and barbed wire. Apart from the wild rabbits that made it their home, no-one had much interest in the wasteland next to the border. Yet this site too was reborn after the city's reunification. A whole new city centre arose around *Potsdamer Strasse*. Daimler-Chrysler built its high-rise offices on the southern side of the road, with a musical theatre on *Marlene-Dietrich-Platz*, cinemas, restaurants and a shopping mall; the northern side is the Sony area. There, the "Emperor's Ballroom", the only remaining part of the *Hotel Esplanade* and under a preservation order, was blocking the redevelopment work. In a spectacular feat of engineering, Sony had it shifted 75 metres to make way for a glass skyscraper, the headquarters of the German railway company. Each half of the new square has its own hub, on the Sony side a piazza protected by a giant canopy of glass and steel. *Potsdamer Platz* is the first new location where all of Berlin meets up, without wondering if they're in the east or the west. This square is the new Berlin.

Visitors and residents alike are attracted by the juxtaposition of old and new encountered everywhere in the centre of Berlin. One example is the walk from the *Reichstag* to the celebrated avenue *Unter den Linden*. It takes us through the Brandenburg Gate, probably Berlin's best-known landmark. Carl Gotthard Langhans built this huge, neo-classical gateway in the late eighteenth century, inspired by the Propylaea in Athens. A four-horse chariot or "quadriga", the work of sculptor Johann Gottfried Schadow, crowns the building. Formerly a town gate, the larger central section of which was reserved for kings and emperors, the Brandenburg Gate is the only pre-war building on *Pariser Platz* – the square, once the capital city's "best parlour", was yet another area destroyed in the war, and all the other buildings on it are more recent. The world-famous *Hotel Adlon* at the southern corner was one of Europe's most elegant hotels from its opening in 1907 until the devastating fire of spring 1945. Everyone who was anyone – from Kaiser Wilhelm to Charlie Chaplin, from politicians and diplomats to artists and scientists – stayed there and enjoyed the view over the banks, embassies and, right next to the Brandenburg Gate, the house of artist Max Liebermann. After the ruins of the hotel were finally flattened, the site lay empty for many years. The Adlon heirs rejected all proposals to rebuild the hotel on another spot. Only when the political climate made it possible, they insisted, would the hotel be resurrected – in its original location. In the end their wishes were fulfilled. Between 1995 and 1997 the new *Adlon* was built just there, in a traditionalist architectural style that is much appreciated by the guests, if not by some more sceptical art historians. Nowadays there is no lack of patrons to enjoy the sophisticated atmosphere of this luxury-class hotel.

Another variation on the theme of old and new is *Gendarmenmarkt*, often considered one of the most beautiful squares in Europe. Here, the classically beautiful *Schauspielhaus* (the former royal playhouse, now a concert hall) has been restored to its place between the domes of the German and the French Cathedrals, a kind of "cosmopolitan in the middle". The building was designed by Karl Friedrich Schinkel in the early nineteenth century. Like all the architectural treasures on this square, it was destroyed in the war and rebuilt in the 1980s following the historic plans. Just around the corner, running straight from north to south, is *Friedrichstrasse*. This busy street is another sample of the dynamic upturn that Berlin's historic centre has taken in the last ten years, a "laboratory of German unity". One stop on the city railway takes us to the *Hackesche Höfe*, a typical Berlin commercial complex where people used to live and work. Today, after modernisation, the courts that make up the complex are lined with shops, galleries and restaurants. They are proving just as popular a tourist attraction as the *Reichstag* dome which opens up that unique panorama to the visitor's gaze: eye to eye, so to speak, with the city's rooftops, where the legal limit on eaves height means old and new are blended into an almost uniform line. Unlike Frankfurt, New York or Chicago with their skywards-looking buildings, Berlin's cityscape guides the eye along a horizontal, not a vertical plane. For the photographer Torsten Andreas Hoffmann, that was precisely the challenge that prompted him to set off with his panoramic camera, in search of the multifaceted and fascinating visual world of the brand-new capital.

Préface de Lothar Heinke

C'est certainement le seul endroit au monde où l'on peut trouver, au sommet d'une « Haute Maison » dans laquelle siègent les représentants du peuple, une plate-forme panoramique invitant à la contemplation. Chacun a la possibilité de profiter de cette attraction sans payer un cent. Le *Reichstag*, ce gigantesque bâtiment de style néoclassique portant la dédicace « Dem deutschen Volke » (au peuple allemand) fut construit entre 1884 et 1894 par Paul Wallot. Dévasté par le feu en 1933, détruit pendant la seconde guerre mondiale, puis reconstruit, il est finalement devenu le siège du Parlement de la République fédérale : l'architecte Lord Norman Foster l'a coiffé d'une coupole de verre. A l'intérieur de cette coupole, le visiteur suit un chemin en forme de spirale qui mène jusqu'au point culminant. Et ce qui nous attend là n'est pas seulement la vue sur le nouveau bâtiment, massif et clair du *Bundeskanzleramt* se trouvant à proximité, mais un vaste panorama de Berlin – un moment de fascination privilégié.
Nous comprenons que les paroles qu'écrivait déjà le feuilletoniste Karl Scheffler en 1910 sont toujours valables aujourd'hui : « Berlin est voué à être en perpétuel devenir mais à n'être jamais achevé. » A proximité, nous voyons des grues, puis, tout autour, d'autres grues, des petites, des grandes. Elles se trouvent dans le centre de la ville, dominant ce qui n'est pas encore achevé, remuant leurs charges du matin jusqu'à la nuit – ces grues, symbole du devenir, du renouvellement d'une incessante activité.
En 1945, après la seconde guerre mondiale et après les douze années du règne national-socialiste, sur les 1,5 millions d'habitations que comptait Berlin, 600 000 furent totalement détruites et 100 000 gravement endommagées. Environ un cinquième des 245 000 bâtiments avait été si gravement touché par la guerre que la reconstruction était devenue impossible.
Les architectes et constructeurs avaient donc une grande marge de manœuvre pour faire des expériences. Et pendant les décennies qui ont suivi, chacune des deux moitiés de ville a fait des efforts pour être, à sa façon, « belle » ou « moderne ».
Comme chacun sait, un mur, érigé par la RDA en 1961, sépara les secteurs de l'ouest des secteurs de l'est. Berlin-Ouest était devenu la vitrine de la République Fédérale face à l'est et Berlin-Est, qui portait le titre de capitale de la RDA, devait être également une vitrine face à l'ouest. Cette étrange situation dura de 1961 jusqu'à la chute du mur le 9 novembre 1989. Le système nerveux de la ville avait été coupé pendant 28 ans. Les habitants vivaient dans l'ombre du mur. Ils s'étaient accommodés de cet état contre nature. Mais ne l'avaient jamais accepté.
Les photos de ce livre ne portent pas les traces de l'ancienne séparation, celle du mur, des fils barbelés et de la « zone de la mort ». Elles montrent un paysage citadin nouveau : bâtiments, parcs, monuments, lacs et musées. Et la Spree, paisible et riante serpente à travers la ville en passant devant les curiosités que les guides touristiques commentent avec volubilité sur les bateaux.
La boule de la tour de la télévision plane au-dessus de tout. Cette tour avec ses 26 000 tonnes mesure 368 mètres de haut, elle est la construction la plus haute de Berlin et à partir de laquelle plusieurs programmes de radio et de télévision sont émis. Elle a été inaugurée en 1969 lors du vingtième anniversaire de la RDA. Deux ascenseurs rapides conduisent le visiteur directement dans la boule argentée qui pèse elle-même ses 4 800 tonnes. En 40 secondes il se retrouve tout ébahi au niveau panoramique. Là haut, à une altitude de 203 mètres, il découvre la ville à ses pieds. Le restaurant tournant, situé à 207 mètres, lui permet d'observer tranquillement la ville qui défile

devant lui en 30 minutes. A travers les grandes baies vitrées, il savoure cette vue d'avion, panorama le plus grandiose de tout Berlin.
Une ville de 3,5 millions d'habitants, à porté de vue étendue et vaste ! Elle semble ne jamais prendre fin, s'étend jusqu'à l'horizon ... vue, qui surtout le soir, est fascinante ... on pourrait presque se croire dans un avion qui tourne de longues minutes avant l'atterrissage au dessus de l'aéroport Tegel: d'abord l'infini des lumières qui s'enchaînent, des guirlandes étonnantes, lumineuses et scintillantes, puis les détails : les artères principales, les parcs sombres, les places illuminées, le réseau urbain qui serpente à travers cette mer de lumière. Vue ainsi, la ville forme une grande unité, un monde à part, intact et imposant.
Dans ce moment de grâce pouvons nous soupçonner ce qui s'est produit là, juste en bas, pendant ces dernières années ? Willy Brandt, jadis maire de Berlin et ensuite chancelier de l'Allemagne fédérale prédisait le 9 novembre 1989 : « se ressoude maintenant ce qui va ensemble ». C'est ce qui se passe ... jusqu'à ce jour. Quelle énorme performance que d'unir deux villes arbitrairement séparées l'une de l'autre pour en faire une seule capitale! De grands moyens furent déployés pour renouer les voies de communication brutalement interrompues en 1961 ou pour recréer un réseau téléphonique.
Avant, il fallait faire preuve de persévérance et fournir des efforts considérables pour pouvoir téléphoner de l'ouest à l'est et de l'est à l'ouest. Aujourd'hui, après avoir ouvert la moitié de la ville pour poser les câbles nécessaires, Berlin peut être fier d'un réseau de communication moderne. Il y a longtemps que l'électricité et le chauffage, eux aussi, circulent de nouveau librement comme la Spree à travers toute la ville.
Berlin doit à la séparation est-ouest un certain nombre de choses en double : à l'ouest il y avait les aéroports Tegel et Tempelhof, l'Est transforma Berlin-Schönefeld en aéroport principal de la RDA. Il y a l'Ancienne et la Nouvelle galerie nationale, l'une est sur « l'Ile aux musées » – et vient d'ouvrir à nouveau dans le « Stammhaus » après trois années de travaux de restauration –, l'autre se trouve dans le *Kulturforum* près de la *Philharmonie*. Berlin possède de plusieurs orchestres symphoniques, centrales électriques, hippodromes, stades de football, bibliothèques et universités. Pendant les années de la séparation, chacun voulait systématiquement posséder la même chose que le voisin : des écoles des beaux arts, des universités pour l'art, de grandes salles de spectacle , des hôpitaux. Le *Deutsche Staatsoper* (l'Opéra national allemand) réalisé au 18 ème siècle par l'architecte Georg Wenzeslaus von Knobelsdorff, détruit pendant la guerre, puis reconstruit dans les années cinquante, est situé avenue *Unter den Linden* donc dans la partie est de la ville. Pour cette raison, il a été nécessaire de construire le *Deutsche Oper* (l'Opéra allemand) à l'ouest. Dans le *Berliner Zoo*, un zoo centenaire, riche en tradition habitaient les animaux de l'ouest – mais comme l'est avait également besoin de sa propre arche de Noë, on y construisit un vaste zoo, le *Tierpark* à *Friedrichsfelde*. Aujourd'hui, cette dualité s'avère être une bénédiction : les institutions des deux parties de la métropole sont largement utilisées.
En 1991, deux ans après la chute du mur, l'ouverture d'une ligne de bus traversant tout Berlin fit sensation. Depuis, le bus numéro 100, allant du *Bahnhof Zoo* à l'ouest jusqu'à la *Alexanderplatz* à l'est, est devenu une grande attraction pour les touristes. Si l'on veut découvrir la ville en regardant par les baies panoramiques de l'étage supérieure, il suffit de prendre un ticket, le bus passera devant les curiosités les plus importantes de la ville. Entre temps cette ligne a reçu du renfort : il est également possible de faire un tour intéressant dans le bus numéro 200 qui dessert entre autre la *Potsdamer Platz*. Cette place qui, dans les années vingt était l'endroit le plus animé de Berlin, n'était plus que ruines après la guerre et durant la période de séparation il ne restait plus, que tout près du mur, une seule maison debout, entourée de défenses antichar, de miradors et de fils barbelés.
Personne n'aurait imaginé un avenir pour cette zone en friche où des lapins berlinois semblaient vivre heureux en liberté. Et pourtant, même cet espace connut une renaissance

après la réunification. Le long de la *Potsdamer Strasse* grandit une cité à part. DaimlerChrysler construisit ses buildings, un théâtre sur la *Marlene-Dietrich-Platz*, des cinémas, des restaurants et un centre commercial du côté sud. En face, de façon spectaculaire, Sony fit déplacer de 75 mètres le *Kaisersaal* de l'hôtel Esplanade classé monument historique pour laisser la place à la construction d'un building en verre : c'est le siège du chemin de fer allemand. La *Potsdamer Platz* est le premier lieu récemment crée où tout Berlin se rencontre et où personne ne se demande plus désormais, si cet endroit est du côté est ou ouest. Cette place incarne Berlin.
Les visiteurs et les habitants de la ville apprécient la cohabitation du neuf avec l'ancien que l'on rencontre partout dans le centre de Berlin. Par exemple, en faisant une promenade depuis le *Reichstagsgebäude* jusqu' à l'avenue *Unter den Linden* que tant de chansons célèbrent, on passe devant la Porte de Brandebourg, certainement le monument le plus symbolique et le plus connu de Berlin. A la fin du 18ème siècle, Carl Gotthard Langhans s'était inspiré des Propylées d'Athènes pour faire construire cet énorme Arc de style néo-classique. L'attique est surmonté d'un quadrige sculpté par Johann Gottfried Schadow. Cette porte qui, à l'origine, représentait la porte de Berlin et dont le passage central était réservé aux empereurs et aux rois, est le seul vestige d'une architecture ancienne. Tous les autres bâtiments de la *Pariser Platz*, jadis appelée «le salon de la capitale», sont plus récents, car cette place, elle aussi, fut détruite pendant la seconde guerre mondiale. Du côté sud, se trouvait l'hôtel Adlon qui, depuis sa création en 1907 et jusqu'à l'incendie dévastateur du printemps 1945 jouissait d'une renommée mondiale et comptait parmi les plus nobles d'Europe. L'empereur Guillaume II, Charlie Chaplin, des hommes politiques et des diplomates, des artistes et des scientifiques … toute la fine fleur descendait ici et profitait de la vu sur la *Pariser Platz* avec ses banques, ses ambassades et la maison de Max Liebermann juste à côté de la porte de Brandebourg. Une fois les ruines de l'hôtel démolies, l'emplacement resta vide pendant des années.
Malgré la demande, les héritiers Adlon refusaient l'installation de l'hôtel à un autre endroit de la ville. La maison devait être reconstruite au même emplacement dès que la situation politique le permettrait. Et c'est exactement ce qui s'est passé : entre 1995 et 1997 le nouvel hôtel Adlon y a été bâti dans le respect d'une architecture traditionnelle – certes contestée par les experts de l'histoire de l'art – mais très appréciée par la clientèle, qui vient avec plaisir pour se laisser envoûter par l'ambiance soignée de cet hôtel de luxe. L'association de l'ancien et du neuf domine également le *Gendarmenmarkt*, cette place dont on dit qu'elle est l'une des plus belles d'Europe. Entre les deux églises à coupoles: le *Deutsche Dom* et le *Französische Dom* se dresse desormais , tel un «joyau» le *Schauspielhaus* qui abrite aujourd'hui des salles de concert. Il a été conçu au début du 19ème siècle par l'architecte Karl Friedrich Schinkel dans un beau style classique. Tous les bâtiments de cette place avaient été détruits, puis reconstruits dans les années 80 à partir des modèles historiques. Au coin de la rue, passe tout droit, du nord au sud, la *Friedrichstrasse* : c'est également un bon exemple de l'essor du centre de Berlin durant ces dix dernières années, pendant son rôle de « laboratoire de la réunification ». Deux stations de métro plus loin, nous rencontrons les *Hackesche Höfe*. Cet ensemble de cours est une ancienne zone industrielle typique du vieux Berlin Jadis, on y habitait et on y travaillait. Aujourd'hui après les travaux de restauration les cours se sont transformées en magasins, galeries et restaurants. Elles sont aussi appréciées par les touristes que la coupole du *Reichstag* où le visiteur découvre une vue panoramique de Berlin exceptionnelle : il se trouve face à face avec les toits de la ville. L'ancien et le neuf semblant se confondre à la même hauteur grâce à une réglementation stricte des constructions. Contrairement à Francfort-sur-le-Main, New York ou Chicago, qui attirent le regard vers le haut, Berlin conduit l'œil sur une ligne horizontale. Le photographe Torsten Andreas Hoffmann a relevé le défi. Avec sa caméra panoramique il est parti à la recherche de ce monde d'image riches et éblouissantes d'une nouvelle capitale.

Prólogo de Lothar Heinke

Probablemente sea éste el único caso en el mundo en el que exista, encima de la sede del Parlamento en la que se reúnen los representantes del pueblo, una plataforma que sirve de mirador, invitando a los visitantes a contemplar con toda calma el panorama urbano que se encuentra en torno a ellos. Cualquier persona puede disfrutar de esa atracción, sin pagar un solo céntimo de entrada. El monumental edificio neorrenacentista del *Reichstag* alemán, que lleva la inscripción «Dem deutschen Volke» (al pueblo alemán), fue construido entre 1884 y 1894 por Paul Wallot, sus interiores se consumieron totalmente en un incendio ocurrido en 1933, quedando el edificio destruido en la Segunda Guerra Mundial. Fue reconstruido y, posteriormente, ya declarado sede del Parlamento de Alemania Federal, fue coronado con una cúpula de vidrio por el arquitecto Lord Norman Foster. Subiendo por un camino en forma de espiral en el interior de dicha cúpula, se llega a su punto más alto. Y allí no sólo nos espera una vista del formidable edificio de la *Bundeskanzleramt* (Cancillería Federal), de colores claros, construido recientemente a escasa distancia del *Reichstag*, sino un amplio panorama de todo Berlín – experiencia que ejerce una fascinación muy especial.

Comprenderemos que no ha perdido vigencia lo que ya en 1910 escribiera el comentarista de temas culturales Karl Scheffler, que Berlín está condenado a estar en un perpetuo proceso de cambio, «siempre deviniendo y nunca siendo». Lo primero que vemos frente a nosotros son grúas, y alrededor observamos más grúas de todo tipo y tamaño. Se alzan en el centro de la ciudad, superando en altura lo que aún no termina de construirse, van moviendo sus cargas desde el amanecer hasta después de caer la oscuridad de la noche – grúas que son el símbolo del devenir, del cambio renovador, de un ajetreo que pareciera no querer acabar nunca.

En 1945, después de haber llegado a su fin la Segunda Guerra Mundial y el dominio que durante doce años ejerciera el Nacionalsocialismo, 600 000 viviendas del millón y medio que tenía Berlín estaban totalmente destruidas, y 100 000 habían quedado gravemente dañadas. De aproximadamente 245 000 edificios, la guerra había afectado a una quinta parte hasta tal punto que resultó imposible reconstruirlos. Por lo tanto, a los constructores y arquitectos se les presentaron muchas oportunidades para realizar experimentos. Y en efecto, en las décadas siguientes, las dos mitades de la ciudad intentaron ser, cada una a su manera, «hermosas» o «modernas».

Como es sabido, desde 1961 un muro construido por la RDA separó los distritos occidentales de los orientales. Berlín Occidental fue el escaparate de la República Federal hacia el Este, y Berlín Oriental, que llevaba el título de «capital de la RDA», tenía la misión de desempeñar un papel análogo en relación con el Oeste. Esta extraña situación se mantuvo desde 1961 hasta la caída del muro, el 9 de noviembre de 1989. Durante 28 años, las fibras nerviosas de la ciudad estuvieron cortadas. Los habitantes vivían a la sombra del Muro. Se habían adaptado y resignado a esa situación poco natural, pero sin aceptarla jamás.

En las fotografías publicadas en el presente libro, ya nada se percibe de la anterior división de la ciudad por medio del Muro, las alambradas de púas y la «franja de la muerte». Las imágenes muestran un nuevo paisaje urbano – edificios, parques, monumentos, lagos, museos. Y muestran el río Spree, que atraviesa la ciudad serpenteando con un aire tan amable y dulce, pasando por los sitios de interés turístico que los guías van explicando a su público con gran elocuencia en sus barcos de excursión.

Por encima de todo este paisaje se encuentra suspendida la esfera de la torre de televisión. Esa torre, que pesa 26 000 toneladas, y desde la cual se transmiten varios programas de radio y televisión, es –con sus 368 metros de altura– el edificio más alto de Berlín. Se inauguró en 1969 con motivo del 20° aniversario de la creación de la RDA. Dos ascensores rápidos llevan al visitante directamente hasta la esfera color de plata, que pesa 4 800 toneladas. Después de 40 segundos de movimiento ascendente, el visitante sale del elevador y contempla asombrado el panorama que se le presenta desde ese mirador. Allá arriba, a 203 metros de altura, tiene la ciudad a sus pies, y en el restaurante giratorio, situado a 207 metros de altura, puede dejar pasar cómodamente la ciudad entera ante sus ojos en 30 minutos. A través de los gigantescos cristales disfruta a vista de pájaro de la panorámica en redondo más grandiosa que puede ofrecerle Berlín.
¡Una ciudad grande y vasta, de 3,5 millones de habitantes! Parece no tener fin, se extiende hasta el horizonte – es una vista que fascina ante todo al anochecer, casi tanto como desde el avión, cuando éste va dando vueltas durante largos minutos antes de aterrizar en el aeropuerto de Tegel: Primero se observa la infinita extensión de las cadenas de luces, los hilos de perlas con su parpadeo desconcertante, luego la atención se centra en los detalles: amplias avenidas principales, parques oscuros, plazas iluminadas, los trenes urbanos que siguen su trayectoria ondulante a través del mar de luces. Desde esta perspectiva, la ciudad forma todo un mundo propio, intacto y magnífico.
En tales instantes, ¿tendremos una idea de todo lo que ha ocurrido allá abajo a lo largo de los últimos años? Willy Brandt, en un tiempo alcalde gobernador de Berlín y posteriormente canciller federal, auguró el 9 de noviembre de 1989: «Ahora se irán uniendo las partes destinadas a formar una unidad».
Y, en efecto, eso es lo que sucedió y sigue sucediendo – hasta el día de hoy.
Ha sido un gran logro volver a formar una capital única a partir de dos ciudades arbitrariamente separadas. Con grandes esfuerzos se restablecieron las antiguas vías de comunicación, interrumpidas desde 1961. O tomemos, por ejemplo, la red de líneas telefónicas: Antes, para llamar por teléfono desde la parte oriental a la occidental, o viceversa, se necesitaba de mucho esfuerzo y una gran tenacidad. Hoy, Berlín se enorgullece de tener un moderno sistema de comunicaciones, después de que la mitad de la superficie urbana fuera abierta por las excavadoras a fin de colocar los cables necesarios. También la energía eléctrica y el agua caliente, destinado a proporcionar calefacción a los hogares, desde hace tiempo están fluyendo de nuevo a través de toda la ciudad, tan libremente como lo hace el río Spree.
La división les ha legado más de una duplicidad a los berlineses: En Occidente, estaban los aeropuertos de Tegel y Tempelhof, el Este convirtió Berlín-Schönefeld en el aeropuerto central de la RDA. Existen la Antigua y la Nueva Galería Nacional, de las que una –que acaba de reabrir sus puertas en su sede original, después de una restauración que tardó tres años– se encuentra en la *Museumsinsel* (Isla de los Museos), y la otra en el *Kulturforum* (Foro de Cultura), cerca de la *Philharmonie* (sede de la Orquesta Filarmónica de Berlín). La ciudad dispone de varias orquestas sinfónicas, centrales eléctricas, hipódromos para carreras al trote, estadios de fútbol, bibliotecas y universidades.
En los años de la división, cada una de las partes siempre quiso tener lo que también poseía la otra: academias y escuelas superiores de bellas artes, grandes salas para eventos, clínicas. La *Deutsche Staatsoper* (Opera Estatal Alemana), diseñada por el arquitecto Georg Wenzeslaus von Knobelsdorff en el siglo XVIII, destruida en la guerra y restablecida en los años cincuenta, se encontraba en la avenida *Unter den Linden*, es decir, en Oriente. Por consiguiente, en Occidente tuvo que edificarse la *Deutsche Oper* (Opera Alemana). En el zoológico de Berlín, de mucha tradición y más de cien años de edad, vivían los animales de Occidente – y dado que Oriente también necesitaba disponer de su propia arca de Noé, se edificó el extenso parque zoológico en *Friedrichsfelde*.
Hoy, esa duplicidad demuestra ser una bendición: Las instituciones de ambas partes de la gran urbe están siendo aprovechadas intensamente por el público.

En 1991, dos años después de la caída del Muro, causó sensación que iniciara su servicio una nueva línea de autobuses urbanos de todo Berlín. Desde entonces, el autobús con el número «100», que recorre el tramo desde la *Bahnhof Zoo* (Estación Ferroviaria del Zoológico) en Occidente hasta un punto situado más allá de la *Alexanderplatz* en el Este, ha sido siempre una gran atracción turística. Quien quiera conocer la ciudad a través de las ventanas panorámicas del piso superior en el autobús, compra su boleto y pasa por los puntos turísticos más importantes. Entretanto, otras líneas se han sumado a la anterior: También en el autobús con el número «200» puede realizarse una interesante gira turística por la ciudad, en la que –por mencionar sólo uno de los atractivos– se atraviesa el mismo centro de la *Potsdamer Platz*. Esta, que en la década de los años veinte fue la plaza de mayor movimiento de todo Berlín, yacía en ruinas después de la guerra, y en los tiempos de la división existía una sola casa cerca del muro, en medio de las barreras antitanque, las torres de vigía y las alambradas de púas. Nadie hubiera pensado que ese paisaje baldío en la frontera, en el que los conejos silvestres de Berlín parecían sentirse particularmente a gusto, tuviera la menor perspectiva de desarrollo. Y, sin embargo: también esta área renació después de la reunificación. A ambos lados de la calle *Potsdamer Strasse* fue creciendo todo un centro urbano. DaimlerChrysler construyó sus grandes edificios, además de un teatro para musicales en la *Marlene-Dietrich-Platz*, cines, restaurantes y pasajes comerciales en la mitad sur, mientras que enfrente, Sony organizó el espectacular traslado de la *Kaisersaal* (Sala del Emperador) del Hotel Esplanade, declarada monumento histórico, a 75 metros de distancia, a fin de crear el espacio necesario para un alto edificio de vidrio –la sede central de la *Deutsche Bahn* (el ferrocarril alemán)–. Ambas partes de la nueva plaza disponen de centros propios, en el caso de Sony, se trata de una plazoleta cubierta por un gigantesco pabellón hecho de vidrio y acero. La *Potsdamer Platz* es el primer lugar de nueva creación en el que ya nadie se pregunta si en ese momento se halla en la parte oriental o en la occidental. La plaza es Berlín.

Tanto para los que están de visita como para los habitantes de la ciudad tiene un gran encanto la coexistencia de lo antiguo y lo nuevo, con la que uno se topa por doquier en el centro de Berlín. Por ejemplo, al dar un paseo desde el edificio del *Reichstag* hacia la célebre avenida *Unter den Linden*. Al lado de ese camino se encuentra lo que probablemente sea el símbolo más conocido de Berlín, la Puerta de Brandeburgo. Carl Gotthard Langhans edificó la monumental puerta clasicista a finales del siglo XVIII, tomando como modelo los Propileos de Atenas. La cuadriga, obra del escultor Johann Gottfried Schadow, corona el ático. Lo que en otro tiempo fuera una puerta de la ciudad, cuyo arco de mayor tamaño situado en el centro estaba reservado a emperadores y reyes, es el único resto arquitectónico que queda de los tiempos antiguos. Todos los demás edificios en la *Pariser Platz*, una vez considerada la «sala de recepción» de la capital, son de fecha reciente, ya que después de la Segunda Guerra Mundial también esta plaza estaba destruida. El mundialmente famoso Hotel Adlon, situado en la esquina meridional, había sido, desde su inauguración en 1907 hasta el incendio devastador ocurrido en primavera de 1945, uno de los hoteles más aristocráticos de Europa. Desde el emperador Guillermo II hasta la estrella de cine Charlie Chaplin, y desde políticos y diplomáticos hasta científicos y artistas – todo el que tenía rango y nombre, se hospedaba aquí y miraba hacia la *Pariser Platz*, con sus edificios bancarios, sus embajadas y la casa de Max Liebermann, contigua a la Puerta de Brandeburgo. Una vez desmantelados los restos del hotel, esta plaza permaneció baldía por muchos años. Los herederos del Adlon rehusaron todas las sugerencias de volver a levantarlo en otro sitio. Sólo cuando las circunstancias políticas lo permitiesen, el edificio debía reconstruirse en el mismo lugar. Y así fue: Entre 1995 y 1997 se volvió a edificar allí el nuevo Adlon, en un estilo arquitectónico comprometido con la tradición, que –aunque es objeto de controversias entre los historiadores del arte– encuentra amplia aceptación entre los huéspedes. Vienen con agrado,

y dejan encantarse por el refinado ambiente de este hotel de lujo.
Otra variación sobre el tema de lo antiguo y lo nuevo la encontramos en el *Gendarmenmarkt*, considerada una de las plazas más hermosas de Europa. Entre los dos edificios del *Deutscher Dom* (Catedral Alemana) y del *Französischer Dom* (Catedral Francesa), ambos cubiertos por cúpulas, hoy se alza de nuevo el *Schauspielhaus* («Teatro», en nuestros días *Konzerthaus*, o «Sala de Conciertos») como «un hijo mundano situado en medio de los dos». Este teatro de belleza clásica fue proyectado a comienzos del siglo XIX por el arquitecto Karl Friedrich Schinkel. Todos los edificios en esa plaza estaban destruidos y se volvieron a levantar en los años ochenta, conforme a los modelos históricos. A la vuelta de la esquina encontramos la calle *Friedrichstrasse*, que corre en línea recta de norte a sur. También esta calle es un ejemplo del auge que el centro de Berlín, como «laboratorio de la unidad», ha experimentado en los últimos diez años. Y a distancia de una estación del *S-Bahn* (tren urbano) entramos en los *Hackesche Höfe*, un barrio con comercios y pequeña industria típico del antiguo Berlín, en el que en tiempos pasados ante todo se vivía y se trabajaba. Hoy en día, después de haber sido saneados, esos patios con sus tiendas, galerías y restaurantes son un destino preferido de los turistas – un destino tan popular como la cúpula del *Reichstag*, donde al visitante se le presenta una vista única del panorama de Berlín: por así decirlo, cara a cara con los tejados de la ciudad, en la cual, gracias a la ley que fija la altura de los edificios, lo antiguo y lo nuevo parecen haberse fundido en un solo nivel casi homogéneo. Una urbe en la que, a diferencia de lo que ocurre en Francfort del Meno, Nueva York o Chicago, con sus edificios que se yerguen hacia el cielo, no son las líneas verticales, sino las horizontales las que determinan la mirada. Para el fotógrafo Torsten Andreas Hoffmann precisamente este hecho representó el desafío que lo impulsó a lanzarse con la cámara panorámica a la búsqueda de ese mundo de imágenes de una nueva capital, tan rico en facetas y matizado en mil colores.

Prefazione di Lothar Heinke

Una «Camera Alta» nella quale si riuniscono i rappresentanti del popolo e sul cui tetto un belvedere invita ad una vista panoramica, è probabilmente unica al mondo. Questa attrazione è aperta a tutti, senza pagare neanche un centesimo per l'ingresso. Il *Deutsche Reichstag* costruito da Paul Wallot fra il 1884 ed il 1894 è un edificio monumentale dallo stile neo-rinascimentale, che reca l'iscrizione «Dem deutschen Volke» (al Popolo tedesco). Nel 1933 fu completamente divorato dalle fiamme, nella Seconda Guerra Mondiale distrutto, e quindi ricostruito per diventare finalmente la sede del parlamento federale. La cupola di vetro, che corona l'edificio, è opera dell'architetto Lord Norman Foster. All'interno della cupola un cammino in forma di spirale porta al suo punto più alto. Arrivati in cima, ci aspetta non solo una vista sul vicino edificio nuovo della *Bundeskanzleramt* (Cancelleria federale), imponente e luminoso, ma anche una vista panoramica completa su Berlino. Una fascinazione del tutto particolare.
Si capisce allora l'attualità di ciò che il redattore culturale Karl Scheffler scrisse nel lontano 1910: «Berlino è condannata soltanto a divenire senza mai essere.» In primo piano vediamo soprattutto le gru … gru di ogni tipo e dimensione. Stanno nella City, si innalzano su ciò che non è ancora finito e trasportano i loro carichi dal mattino presto fino a notte fonda. Le gru come simbolo del divenire, del rinnovare, di una laboriosità che sembra non finire mai.
Nel 1945, alla fine della Seconda Guerra Mondiale e della dominazione nazista lunga 12 anni, del milione e cinquecentomila abitazioni berlinesi, 600 000 erano completamente distrutte ed altre 100 000 danneggiate gravemente. Dei circa 245 000 edifici la guerra ne aveva compromessi un quinto in maniera tale da non essere più ricostruibili. Così furono tante le opportunità per sperimentare che si offrirono agli urbanisti ed agli architetti. Nei decenni che seguirono ciascuna delle due metà della città tentava di essere a modo suo «bella» o «moderna».
È noto che, dal 1961 in poi, il Muro eretto dalla RDT (Repubblica Democratica Tedesca) divideva i quartieri dell'Ovest da quelli dell'Est. Berlino-Ovest era la vetrina della Repubblica Federale verso l'Est, invece Berlino-Est, che portava il titolo di «capitale della RDT», doveva essere quella verso l'Ovest. Una situazione singolare durata dal 1961 fino al giorno della caduta del muro, il 9 novembre 1989. Le fibre nervose della città sono rimaste tagliate per 28 anni. I cittadini vivevano all'ombra del muro. Si adattarono a questa situazione del tutto anormale, senza mai accettarla.
Nelle fotografie presentate in questo libro non si vede più nessuna traccia della divisione della città causata dal Muro, dal filo spinato e dal «corridoio della morte». Esse invece mostrano edifici, parchi, monumenti, laghi, musei del nuovo paesaggio urbano, con il fiume Spree che serpeggia dolce e piacevole attraverso la città, lambisce monumenti illustrati nella lingua ricca delle guide dei battelli turistici.
Al di sopra di tutto ciò si libra il globo della torre televisiva. Inaugurata nel 1969 in occasione del ventesimo anniversario della RDT, la torre ha 26 000 tonnellate di peso e trasmette molti programmi radiofonici e televisivi. Due ascensori veloci portano il visitatore direttamente nella palla nera dal peso di 48 000 tonnellate. Dopo 40 secondi esce dall'ascensore e si trova, pieno di stupore, al piano panoramico. Lassù, ad un'altezza die 203 metri, la città giace ai suoi piedi. Nel ristorante che ruota all'altezza di 207 metri da terra la città gli scorre in basso tranquillamente, nel giro di 30 minuti. Attraverso i vetri giganteschi gode una prospettiva a volo d'uccello con la panoramica circolare più grandiosa che possa offrire Berlino.

Una città grande ed estesa di 3,5 milioni di abitanti. Sembra non finire mai. Si distende fino all'orizzonte – una vista avvincente, soprattutto la sera. Come essere in un aereo, che prima dell'atterraggio ruota per lunghi minuti sopra l'aeroporto Tegel: prima l'infinità del mare di luci, dei fili di perla che lampeggiano in modo sconcertante, poi i particolari: viali larghi, parchi oscuri, piazze illuminate, ferrovie metropolitane che serpeggiano attraverso il mare di luci. Vista da questa prospettiva la città appare un intero unico ed immenso, un mondo a sé, grande ed intatto.
In questi momenti, possiamo immaginiarci le cose successe laggiù negli ultimi anni? Willy Brandt, già sindaco di Berlino e più tardi cancelliere federale, profetò il 9 novembre 1989: «Adesso si unisce crescendo ciò che si appartiene». E ciò avviene – fino al giorno di oggi. È stato un grande lavoro rifare da due città separate arbitrariamente una capitale unificata. Con enorme impegno sono stati riallacciati i vecchi collegamenti del traffico, tagliati dopo il 1961. E poi la rete telefonica: ai tempi della divisione solo con grande fatica e altrettanta tenacia si riusciva a telefonare da Est ad Ovest e viceversa. Oggigiorno Berlino si vanta di un sistema di comunicazione moderno dopo che mezza città è stata messa sotto sopra dagli scavi per posare i cavi necessari. Anche l'elettricità e il tele-riscaldamento scorrono già da molto tempo, al pari della Spree, senza frontiere attraverso tutta la città.

La divisione ha portato ai berlinesi più di un doppione: ad Ovest c'erano gli aeroporti Tegel e Tempelhof; l'Est trasformò Berlino-Schönefeld nell'aeroporto centrale della RDT. Oggi c'è la *Alte* (antica) e la *Neue* (moderna) *Nationalgalerie*: l'una ubicata nella *Museumsinsel* (l'isola dei musei) – appena riaperta nella «casa madre» dopo un restauro triennale; l'altra, nel *Kulturforum* (centro culturale), vicino alla *Philharmonie* (auditorium). Berlino ha molte orchestre sinfoniche, centrali elettriche, ippodromi, stadi di calcio, biblioteche e università. Negli anni della divisione una metà della città voleva avere sempre quello che aveva anche l'altra: accademie e politecnici di Belle Arti, sale per grandi manifestazioni, cliniche. La *Deutsche Staatsoper* (Opera nazionale tedesca) progettata nel 700 dall'architetto Georg Wenzeslaus von Knobelsdorff, distrutta durante la guerra e ricostruita negli anni '50, si trovava nel viale *Unter den Linden*, cioè ad Est. Di conseguenza ad Ovest bisognava costruire la *Deutsche Oper* (Opera tedesca). Ad Ovest, gli animali vivevano nello zoo ricco di tradizione di Berlino la cui costruzione risale a più di 100 anni fa. Siccome anche l'Est aveva bisogno della sua Arca di Noè, venne costruito un vasto giardino zoologico a *Friedrichsfelde*. Ora questa duplicazione si rivela un gran bene: viene fatto largo uso delle istituzioni delle due parti della metropoli.
Nel 1991, due anni dopo il crollo del muro, fu un grande evento la messa in funzione di una nuova linea d'autobus per tutta la città. Da allora linea del bus numero «100», che dal *Bahnhof Zoo* (Ovest) va all'Est fino ed oltre l'*Alexanderplatz*, si è rivelata una grande attrazione turistica. Chi vuole visitare la città attraverso la finestra panoramica del suo secondo piano, compra un biglietto e si lascia portare davanti ai monumenti più importanti da vedere. Nel frattempo questa linea ha visto una nuova generazione: anche con il bus «200» si può fare un interessante giro turistico della città, passando, fra l'altro, attraverso il *Potsdamer Platz*. Negli anni '20 questa era la piazza più briosa ed animata di Berlino, durante la guerra fu ridotta ad un cumulo di macerie. Nel periodo della divisione c'era solamente una casa vicino al muro, circondato da sbarramenti anticarro, torri di guardia e filo spinato. Nessuno avrebbe dato un futuro a questo campo di maggese di frontiera, nel quale sembravano sentirsi molto bene i conigli selvatici di Berlino. Eppure dopo la riunificazione della città anche quest'area è rinata. Da entrambi i lati della *Potsdamer Strasse* è cresciuta una vera e propria City.
Da un lato, i grattacieli costruiti dalla Daimler-Chrysler, un teatro musicale al *Marlene-Dietrich-Platz*, dei cinema, ristoranti e gallerie commerciali sulla metà del sud. Di fronte, la Sony, con un'azione spettacolare, ha fatto trasportare per 75 metri la sala imperiale dell'albergo Esplanade, un monumento nazionale, per fare posto al grattacielo di vetro della sede centrale della *Deutsche Bahn* (ferrovie tedesche). Tutte e due

le parti della nuova piazza hanno i loro propri centro – dal lato della Sony la piazza è coperta da una tenda enorme fatta di vetro ed acciaio. Il *Potsdamer Platz* rappresenta il primo luogo nuovo, dove si incontra tutta Berlino e dove nessuno chiede più, se si trova dalla parte est o ovest della città. La piazza è Berlino.
Allettante tanto per i visitatori quanto per gli abitanti è la compresenza di vecchio e nuovo che si trova ovunque nel centro di Berlino. Per esempio passeggiando dall'edificio del *Reichstag* al viale *Unter den Linden* decantata in molte canzoni. Strada facendo si passa il *Brandenburger Tor*, il simbolo probabilmente più conosciuto di Berlino. Questa porta monumentale di stile classicistico fu costruita da Carl Gotthard Langhans alla fine del 700 sul modello dei propilei di Atene. La quadriga, un'opera dello scultore Johann Gottfried Schadow, corona l'Attica. La porta della città, il cui passaggio centrale e più grande fu privilegio di imperatori e re, è l'unica testimonianza dei tempi passati. Tutti gli altri edifici sul *Pariser Platz* – una volta il «salotto della capitale» – sono di data più recente, giacché dopo la Seconda Guerra Mondiale anche questa piazza era distrutta. Dalla sua inaugurazione nel 1907 fino all'incendio disastroso nella primavera del 1945, l'Adlon – hotel di fama mondiale situato all'angolo sud della piazza – era annoverato fra gli hotel di lusso più prestigiosi di tutta l'Europa. Tutti coloro che avevano rango e nome – dall'Imperatore Guglielmo II al divo di cinema Charlie Chaplin, dai politici e diplomatici fino agli artisti e scienziati – alloggiavano qui e si godevano la vista sul *Pariser Platz* con i suoi edifici di banca, ambasciate e, proprio accanto al *Brandenburger Tor*, la casa di Max Liebermann. Una volta demolite le rovine dell'hotel, la piazza rimase per molti anni un campo di maggese. Gli eredi dell'Adlon rifiutavano tutte le sollecitazioni a ricostruirlo altrove: solo quando le circostanze politiche lo avrebbero permesso, l'hotel sarebbe rinato sullo stesso luogo. E così fu: fra il 1995 ed il 1997 fu eretto lì il nuovo Adlon con una architettura che rispetta la tradizione e che – pur essendo contestata fra gli storici dell'arte – è molto apprezzata dagli ospiti. Essi vengono volentieri e si lasciano incantare dall'ambiente curato di questo hotel di lusso.
Una variazione del tema «vecchio-nuovo» è rappresentata anche dal *Gendarmenmarkt* considerato una delle piazze più belle dell'Europa. Fra i due edifici con il tetto a cupola del *Deutscher* e *Französischer Dom* (duomo tedesco e francese) è rinato il *Schauspielhaus* come «figlio del mondo nel centro di Berlino». Questo edificio dalla bellezza classica fu progettato da Karl Friedrich Schinkel all'inizio del 800 e viene utilizzato oggi come auditorium. Negli anni '80, secondo modelli storici, vennero ricostruiti tutti gli edifici distrutti su questa piazza. Subito dietro l'angolo la *Friedrichstrasse* corre rettilinea da Nord a Sud. Anch'essa è un esempio dello slancio, che caratterizza la City di Berlino dell 'ultimo decennio come «laboratorio dell'unificazione». Ed alla distanza di una fermata della *S-Bahn* (ferrovia metropolitana) entriamo negli *Hackesche Höfe*, una zona tipica della Berlino artigianale di una volta, utilizzata soprattutto per abitare e lavorare. Oggi, dopo il risanamento, gli *Höfe* (i cortili) con i loro negozi, gallerie e ristoranti costituiscono una meta preferita dai turisti – altrettanto popolare come la cupola del *Reichstag*, che apre al visitatore l'incomparabile vista sul panorama di Berlino: per così dire a ridosso dei tetti della città, in cui, grazie all'altezza della grondaia stabilita per legge, il vecchio e il nuovo sembrano fondersi in un piano quasi regolare e armonico. Una città, nella quale sono le linee orizzontali a fermare lo sguardo e non le linee verticali tracciate dagli edifici eretti verso il cielo, come a Francoforte, New York o Chicago. Ed è appunto questa la sfida, per la quale il fotografo Torsten Andreas Hoffmann, con la sua macchina fotografica panoramica, si ha messo alla ricerca del mondo di immagini variegato e cangiante di una nuova capitale.

Das Brandenburger Tor am Rande des Tiergartens ist das wohl bekannteste Wahrzeichen Berlins. Blick vom Pariser Platz in Richtung Straße des 17. Juni und Siegessäule; rechts das Liebermann-Haus.

The Brandenburg Gate on the edge of *Tiergarten* park is probably Berlin's best-known landmark. View from *Pariser Platz* towards the avenue of *Strasse des 17. Juni* and the *Siegessäule* (Victory Column); on the right, the Max Liebermann House.

La porte de Brandebourg, située aux abords du *Tiergarten*, est certainement le symbole le plus connu de Berlin. Vue depuis le *Pariser Platz* en direction de la *Strasse des 17. Juni* et de la *Siegessäule* (colonne de la victoire); à droite la maison de Max Liebermann.

La Puerta de Brandeburgo, situada a las orillas del parque *Tiergarten*, probablemente sea el emblema más conocido de Berlín. Vista desde la *Pariser Platz,* mirando en dirección a la *Strasse des 17. Juni* y la Columna de la Victoria; a la derecha, se ve la casa de Liebermann.

Il *Brandenburger Tor* al margine del *Tiergarten* è probabilmente il simbolo più conosciuto di Berlino. Dal *Pariser Platz*, veduta in direzione della *Strasse des 17. Juni* e della *Siegessäule* (colonna della vittoria); a destra, la casa di Liebermann.

Der Architekt Lord Norman Foster entwarf die gläserne Kuppel, die seit 1998 das Reichstagsgebäude krönt. Innerhalb der Kuppel führt ein Wandelgang bis nach oben. Dort genießt man einen phantastischen Rundblick über die Stadt.

Architect Lord Norman Foster designed the glass dome that has crowned the *Reichstag* building since 1998. Inside the dome, a winding ramp leads to the top, where a panoramic view opens up across the city.

L'architecte Lord Norman Foster dessina la coupole de verre qui coiffe depuis 1998 le bâtiment du *Reichstag*. A l'intérieur, une passerelle en forme de spirale mène au sommet d'où on jouit d'une très belle vue panoramique sur la ville.

El arquitecto Lord Norman Foster diseñó la cúpula de vidrio que desde 1998 corona el edificio del *Reichstag*. Al interior de la cúpula hay un camino por el cual puede subirse hasta su punto más elevado. Allí se disfruta una fantástica vista panorámica de toda la ciudad.

L'architetto Lord Norman Foster progettò la cupola di vetro che dal 1998 corona l'edificio del *Reichstag*. All'interno della cupola un'ambulacro porta sulla cima. Da lì si gode una panoramica fantastica sulla città.

Blick vom Reichstagsgebäude, dem Sitz des Bundestages, in Richtung Süden; rechts im Hintergrund das Kulturforum, in der Mitte der Potsdamer Platz; links das Häusermeer von Berlin-Mitte und Kreuzberg.

View south from the *Reichstag* building, the seat of the German Federal Parliament. In the background: on the right, the *Kulturforum* complex; in the centre *Potsdamer Platz*; on the left, the massed buildings of the *Mitte* and *Kreuzberg* districts.

Depuis le bâtiment du *Reichstag*, siège du Parlement allemand, vue en direction du sud : au fond à droite, le *Kulturforum*, au centre, la *Potsdamer Platz*, à gauche la multitude de maisons des quartiers *Berlin-Mitte* et *Kreuzberg*.

Mirando hacia el sur desde el edificio del *Reichstag*, sede del parlamento; al fondo a la derecha se divisa el *Kulturforum* (Foro de Cultura), en el centro, la *Potsdamer Platz*, y a la izquierda, la vasta zona urbana del centro de Berlín y del barrio de *Kreuzberg*.

Veduta dall'edificio del *Reichstag*, la sede del parlamento tedesco, in direzione Sud; sullo sfondo, a destra, il *Kulturforum*, al centro il *Potsdamer Platz*; a sinistra, il mare di case di *Berlin-Mitte* e *Kreuzberg*.

Das Bundeskanzleramt vom Reichstagsgebäude aus gesehen. Der Neubau mit seinem 335 Meter langen Südtrakt, errichtet nach einem Entwurf von Axel Schultes und Charlotte Frank, wurde am 2. Mai 2001 eingeweiht.

The *Bundeskanzleramt* (Federal Chancellery), seen from the *Reichstag* building. With its 335-metre-long southern wing, the building is based on prize-winning designs by Axel Schultes and Charlotte Frank. It opened on 2 May 2001.

La Chancellerie vue depuis le bâtiment du *Reichstag*. La nouvelle construction dont l'aile Sud mesure 335 mètres de long, a été édifiée selon les plans d'Axel Schultes et de Charlotte Frank, elle fut inaugurée le 2 mai 2001.

La Cancillería Federal, vista desde el edificio del *Reichstag*. La Cancillería, de construcción reciente, tiene una sección sur que mide 335 metros de largo, se construyó a partir de un diseño de Axel Schultes y Charlotte Frank, y fue inaugurada el 2 de mayo de 2001.

Il *Bundeskanzleramt* (Cancelleria federale) visto dall'edificio del *Reichstag*. La parte sud lunga 335 metri del nuovo edificio, progettato da Axel Schultes e Charlotte Frank, fu inaugurato il 2 maggio 2001.

Abendstimmung über dem Haus der Kulturen der Welt am nördlichen Rand des Tiergartens. Das Gebäude, der amerikanische Beitrag zur Internationalen Bauausstellung 1957, diente ursprünglich als Kongresshalle.

Evening light over the *Haus der Kulturen der Welt* (House of World Cultures), on the northern edge of *Tiergarten* park. The building was the USA's contribution to the "Interbau" exhibition of 1957, and was originally a congress hall.

Tombé de la nuit au-dessus de la Maison des cultures du monde, située à l'extrémité nord du *Tiergarten*. Le bâtiment, une contribution des Américains lors de l'exposition internationale d'architecture (« Interbau ») de 1957, servait initialement de halle de congrès.

Atardecer junto a la Casa de las Culturas del Mundo, situada en el límite norte del *Tiergarten*. El edificio fue el aporte de los Estados Unidos a la Exposición Internacional de la Construcción («Interbau») que se realizó en 1957, y originalmente se utilizó como pabellón de congresos.

Atmosfera serale sopra la casa delle culture mondiali al margine nord del *Tiergarten*. L'edificio – contributo americano alla Fiera Internazionale dell'edilizia (« Interbau ») nel 1957 – serviva in origine da sala dei congressi.

Fassade des Schlosses Bellevue, seit 1993 Hauptsitz des Bundespräsidenten. Das Gebäude hatte August Ferdinand von Preußen, der jüngste Bruder Friedrich II., 1785 von Philipp Daniel Boumann errichten lassen.

Façade of the Bellevue palace, since 1993 the main residence of the German Federal President. Frederick the Great's youngest brother, August Ferdinand of Prussia, commissioned the palace from Philipp Daniel Boumann in 1785.

Façade du château Bellevue, depuis 1993 résidence du président de la République fédérale. August Ferdinand de Prusse, le plus jeune des frères de Frédéric le Grand, fit construire ce bâtiment par Philipp Daniel Boumann en 1785.

Fachada del palacio Bellevue, desde 1993 sede oficial principal del presidente federal. Augusto Fernando de Prusia, el más joven entre los hermanos de Federico II, se hizo construir este palacio en 1785 por Philipp Daniel Boumann.

Facciata del castello Bellevue, dal 1993 sede principale del Presidente della Repubblica Federale. L'edificio fu costruito nel 1785 da Philipp Daniel Boumann su ordine di Augusto Ferdinando di Prussia, fratello minore di Federico II.

Bellevue

Am Kulturforum. Rechts die Neue Nationalgalerie, in den sechziger Jahren nach Plänen Ludwig Mies van der Rohes erbaut. Links eine Stahlplastik von Alexander Calder, im Hintergrund die St.-Matthäus-Kirche.

At the *Kulturforum.* On the right, the *Neue Nationalgalerie* (New National Gallery), a 1960s design by Ludwig Mies van der Rohe. On the left a steel sculpture by Alexander Calder; the church in the background is the *St.-Matthäus-Kirche.*

Les abords du *Kulturforum.* A droite, la Nouvelle Galerie Nationale, construite dans les années 60 selon les plans de Ludwig Mies van der Rohe. A gauche, une sculpture en acier d'Alexander Calder, au fond, la *St.-Matthäus-Kirche.*

En el *Kulturforum* (Foro de Cultura). A la derecha, la *Neue Nationalgalerie* (Nueva Galería Nacional), edificada en los años sesenta de acuerdo con el proyecto de Ludwig Mies van der Rohe. A la izquierda, una escultura de acero de Alexander Calder, al fondo, la *St.-Matthäus-Kirche* (Iglesia de San Mateo).

Il *Kulturforum.* A destra la *Neue Nationalgalerie* (Nuova Galleria Nazionale), costruita su progetto di Ludwig Mies van der Rohe negli anni '60. A sinistra la scultura di acciaio di Alexander Calder, sullo sfondo la *St.-Matthäus-Kirche* (chiesa di San Matteo).

sanofi-synthelabo
sanofi-synthelabo

Der Potsdamer Platz in abendlicher Beleuchtung. Im Vordergrund die St.-Matthäus-Kirche von Friedrich August Stüler. Es ist der einzige erhaltene historische Bau in diesem Areal.

The lights of *Potsdamer Platz*. The church in the foreground, the *St.-Matthäus-Kirche* by Friedrich August Stüler, is the only historical building still standing in this area.

La *Potsdamer Platz*, éclairée le soir. Au premier plan, la *St.-Matthäus-Kirche* de Friedrich August Stüler. Elle est le seul édifice historique conservé dans ce secteur.

La *Potsdamer Platz* con iluminación nocturna. Adelante, se ve la *St.-Matthäus-Kirche*, de Friedrich August Stüler. Esta iglesia es el único edificio histórico que aún subsiste en esta área.

Il *Potsdamer Platz* sotto l'illuminazione serale. In primo piano la *St.-Matthäus-Kirche* costruita da Friedrich August Stüler, l'unico edificio storico in questa zona.

In dieser ungewöhnlichen Perspektive scheinen der Kammermusiksaal und die dahinter liegende Philharmonie, 1960-63 nach Plänen von Hans Scharoun entstanden, zu einem Gebäude zu verschmelzen.

From this unusual perspective, the *Kammermusiksaal* (Chamber Concert Hall) and the Philharmonia behind it, built in 1960-63 after the plans of Hans Scharoun, seem to blend into a single building.

Vu sous cet angle, la *Kammermusiksaal* (Salle de concerts de musique de chambre) au premier plan et la *Philharmonie* derrière, construites entre 1960 et 1963 selon les plans de Hans Scharoun, semblent se fondre en un seul édifice.

En esta perspectiva poco usual, parecen fundirse en un solo edificio la *Kammermusiksaal* (sala de Música de Cámara) y la *Philharmonie*, situada detrás de la primera, y construida entre 1960 y 1963 según planos de Hans Scharoun.

Da questa prospettiva inusuale la *Kammermusiksaal* (sala di musica da camera) e sullo sfondo la *Philharmonie* – costruita su progetto di Hans Scharoun fra il 1960 ed il 1963 – sembrano fondersi in un unico edificio.

sanofi~synthelabo

Blick auf das Sony-Areal am Potsdamer Platz mit der weithin sichtbaren Dachkonstruktion über dem Forum und dem dominierenden Hochhaus von Architekt Helmut Jahn; im Hintergrund der Fernsehturm.

View of the Sony development on *Potsdamer Platz*, with the Sony forum's landmark canopy construction and Helmut Jahn's impressive high-rise; in the background the Television Tower.

Vue sur le Sony Center à la *Potsdamer Platz*, le toit couvrant le forum est visible de loin, et le building de l'architecte Helmut Jahn domine l'ensemble. Au loin la tour de la télévision.

Vista del área de Sony junto a la *Potsdamer Platz*, con la estructura del techo que cubre el foro, y que es visible desde una gran distancia, al lado de él y dominando el panorama, se yergue el edificio proyectado por el arquitecto Helmut Jahn, al fondo se ve la Torre de Televisión.

Veduta sull'area Sony del *Potsdamer Platz* con la struttura del tetto del Forum visibile da lontano, ed il grattacielo dominante dell'architetto Helmut Jahn; sullo sfondo, la torre televisiva.

CineStar
IMAX

Wie ein aufgespannter, frei schwebender Regenschirm überdacht die Konstruktion aus Glas, Stahl und Glasfasergewebe die Piazza des Sony Center am Potsdamer Platz mit ihren Cafés, Geschäften und Kinos.

The canopy over the Sony piazza on *Potsdamer Platz* is made of glass, steel and glass fibre fabric. Like an opened, free-floating umbrella, it protects the Sony Center's cafés, shops and cinemas.

Sur la *Potsdamer Platz*, la construction en verre, acier et fibres de verre plane, tel une aile, au-dessus la «Piazza» du *Sony Center* avec ses cafés, magasins et cinémas.

Como un paraguas abierto que parece flotar en el aire sin soporte alguno, esta construcción hecha de vidrio, acero y un tejido de fibra de vidrio cubre la plazoleta del *Sony Center* con sus cafés, negocios y cines en la *Potsdamer Platz*.

Il tetto, una costruzione di vetro, acciaio e fibra di vetro, simile ad un ombrello aperto e oscillante liberamente, copre la Piazza del *Sony Center* del *Potsdamer Platz* con i suoi caffè, negozi e cinema.

Von den »Linden« schaut man hinüber zur Friedrichwerderschen Kirche, ein Bau Karl Friedrich Schinkels, in dem heute das Schinkelmuseum untergebracht ist; im Vordergrund das Denkmal für Albrecht Daniel Thaer.

View of the Friedrichwerdersche church from *Unter den Linden*. The church was designed by Karl Friedrich Schinkel and now houses the Schinkel Museum. In the foreground is the monument to Albrecht Daniel Thaer.

Depuis l'avenue *Unter den Linden* on aperçoit l'église de Friedrichwerder, une construction de Karl Friedrich Schinkel, aujourd'hui elle accueille le musée Schinkel. Au premier plan, le monument consacré au Albrecht Daniel Thaer.

Desde la avenida *Unter den Linden* se tiene aquí una vista de la Iglesia de Friedrichwerder, una construcción de Karl Friedrich Schinkel, en la que ahora se encuentra el museo dedicado al arquitecto del mismo nombre, en el primer plano aparece el monumento a Albrecht Daniel Thaer.

Dai *Unter den Linden* lo sguardo va alla chiesa di Friedrichwerder, un edificio di Karl Friedrich Schinkel, nel quale si trova oggi il museo Schinkel. In primo piano, il monumento al Albrecht Daniel Thaer.

HILTON
Hilton

Panoramablick vom Turm des Französischen Doms am Gendarmenmarkt; im Vordergrund das Schinkelsche Schauspielhaus und der Deutsche Dom, rechts im Hintergrund die neuen Quartiere der Friedrichstraße.

Panoramic view from the tower of the French Cathedral on *Gendarmenmarkt*; in the foreground Schinkel's *Schauspielhaus* (the former royal playhouse) and the German Cathedral; in the background on the right, the new shops and offices on *Friedrichstrasse*.

Vue panoramique depuis la tour de l'église française, située au *Gendarmenmarkt* ; au premier plan le *Schauspielhaus* conçu par Schinkel et l'église allemande. Au fond à droite, les nouveaux édifices de la *Friedrichstrasse*.

Vista panorámica desde la torre de la Catedral Francesa en el *Gendarmenmarkt*, en el primer plano aparecen el *Schauspielhaus*, construido por Schinkel, y la Catedral Alemana, al fondo a la derecha, las nuevas construcciones de la calle *Friedrichstrasse*.

Vista panoramica dalla torre del duomo francese sul *Gendarmenmarkt*; in primo piano, il *Schauspielhaus* di Schinkel ed il duomo tedesco, sullo sfondo, a destra, i nuovi quartieri della *Friedrichstrasse*.

Inszenierung zeitgenössischer Kunst auf dem Schlossplatz im Sommer 2001; im Hintergrund rechts der Palast der Republik im Stadium der Asbestsanierung und über allem thronend der wilhelminische Prunkbau des Berliner Doms.

Contemporary art on the *Schlossplatz* piazza in summer 2001. In the background, right, the Palace of the Republic during works to remove asbestos. Dominating the view is the magnificent, late nineteenth-century Berlin Cathedral.

La manifestation d'art moderne sur la *Schlossplatz* pendant l'été 2001 ; au fond à droite, le Palais de la République pendant les travaux d'assainissement, le tout est dominé par le *Berliner Dom*, édifice somptueux de l'ère wilhelmienne.

Escenificación de arte contemporáneo en la *Schlossplatz*, en verano de 2001; al fondo y a la derecha, se ve el Palacio de la República sometido a un proceso de saneamiento, para extraer los elementos de asbesto que contenía, y, coronando el escenario, la Catedral de Berlín, edificio de una suntuosidad ostentativa que data de la época del emperador Guillermo II.

Scenografia di arte moderna sulla *Schlossplatz* (piazza del castello) nell'estate 2001; sullo sfondo, a destra il Palazzo della Repubblica al momento del risanamento dall'amianto; vi troneggia sopra l'edificio sontuoso del Duomo di Berlino dell'era di Guglielmo.

Nach Plänen Karl Friedrich Schinkels wurde 1823-29 am Nordrand des Lustgartens der erste Bau auf der Museumsinsel, das Alte Museum errichtet. Vor der Freitreppe die aus einem Eiszeit-Findling geschlagene Granitschale.

Karl Friedrich Schinkel was the architect of the first building on "museum island", the *Altes Museum*, erected in 1823-29 on the northern edge of the *Lustgarten*. In front of the museum steps is a granite basin carved from an ice-age erratic block.

Le *Altes Museum* (Vieux Musée), construit entre 1823 et 1829 au nord du *Lustgarten*, selon les plans de Karl Friedrich Schinkel, fut le premier édifice de l'Ile des Musées. Devant l'escalier extérieur, la vasque en granite taillée dans une roche erratique.

Según planos elaborados por Karl Friedrich Schinkel se construyó, entre 1823 y 1829, en el límite norte del *Lustgarten* («jardín de recreo») el *Altes Museum* (Museo Antiguo), como primer edificio de la Isla de los Museos. Delante de la gradas se ve la fuente de granito, hecha de un monolito remanente del periodo glacial.

Il *Altes Museum* (Museo Vecchio), primo edificio sulla *Museumsinsel* (isola dei musei), fu costruito fra il 1823 ed il 1829 sull'orlo nord del *Lustgarten* (giardino), su progetto di Karl Friedrich Schinkel. Davanti alla scalinata esterna si trova una scodella di granito modellata da un masso erratico di epoca glaciale.

OMNIGENAE ET ARTIVM LIBERALIVM MVSEVM CONSTITVIT MDCCCXXVIII

SEVM CONSTITVIT MDCCCXXVIII

Hinter dem klassizistischen Säulengang des Alten Museums präsentiert sich der tempelartige, 1866-76 errichtete Bau der Alten Nationalgalerie. Seit Ende 2001 wird hier wieder die Kunst des 19. Jahrhunderts gezeigt.

The *Alte Nationalgalerie* (Old National Gallery) seen through the neo-classical colonnade of the *Altes Museum*. The gallery was built in 1866-76 in a temple style. Since late 2001 it has once again housed Berlin's nineteenth-century art collection.

Derrière la colonnade de style néo-classique du *Altes Museum* (Vieux Musée) se profile un édifice ressemblant à un temple : il s'agit de la *Alte Nationalgalerie* (Ancienne Galerie Nationale), construite entre 1866 et 1876. Depuis la fin de l'année 2001, l'art du 19ème siècle y est à nouveau exposé.

Detrás de la columnata clasicista del *Altes Museum* (Museo Antiguo) se yergue el edificio de la *Alte Nationalgalerie* (Antigua Galería Nacional), construido entre 1866 y 1876, y que por su estilo se asemeja a un templo. Desde finales de 2001, este lugar viene sirviendo nuevamente para exhibir las obras de arte del siglo XIX.

Dietro il colonnato di stile classicistico del *Altes Museum* (Museo Vecchio) appare l'edificio della *Alte Nationalgalerie* (Vecchia Galleria Nazionale), eretto fra il 1866 ed il 1876 in forma di tempio. Alla fine del 2001 è diventato di nuovo un museo dell'arte dell'800.

Strahlend blauer Himmel über dem Charlottenburger Schloss, das Friedrich I., seit 1701 König in Preußen, für seine Frau Sophie Charlotte als Lustschloss errichten ließ. Davor das Reiterstandbild des Großen Kurfürsten.

A radiantly blue sky above the *Charlottenburger Schloss*. This summer palace was built by Frederick I, King in Prussia from 1701, for his wife Sophie Charlotte. In front of the palace, the statue of the Great Elector on horseback.

Sous un ciel d'azur, le château de *Charlottenbourg*. Frédéric I, roi en Prusse depuis 1701, fit construite ce château de plaisance pour sa femme Sophie Charlotte. Au premier plan la statue équestre du Grand Electeur.

Un cielo radiante y azul se extiende encima del palacio de *Charlottenburg*, que Federico I, rey en Prusia desde 1701, mandó construir para su esposa Sofía Carlota como palacio de recreo veraniego. Delante del palacio, se ve la estatua ecuestre del Gran Elector.

Cielo azzurro sul castello di *Charlottenburg* che Federico I, dal 1701 Re in Prussia, fece costruire come residenza estiva per sua moglie Sophie Charlotte. Davanti al castello la statua equestre del Grande Principe Elettore.

Vor 150 Jahren fuhren von hier aus Züge ab, heute beherbergt der Hamburger Bahnhof das Museum für Gegenwart, das mit seinen aufsehenerregenden Ausstellungen Anziehungspunkt für Liebhaber zeitgenössischer Kunst ist.

150 years ago the *Hamburger Bahnhof* was a working railway terminus, but today it houses the *Museum für Gegenwart* (Museum of Contemporary Art). Its remarkable exhibitions make it a magnet for lovers of contemporary art.

Il y a 150 ans, des trains partaient de cette gare, la *Hamburger Bahnhof*, aujourd'hui, elle héberge le musée d'art contemporain qui, avec ses expositions spectaculaires, attire les amateurs d'art.

Hace 150 años, éste era un lugar del que solían partir los trenes; hoy, la estación ferroviaria *Hamburger Bahnhof* alberga al Museo de Arte Contemporáneo, que con sus exposiciones espectaculares se ha convertido en un punto de atracción para los amantes del arte de nuestra era.

150 anni fa i treni partivano da qui. Oggi nella stazione ferroviaria *Hamburger Bahnhof* si trova il Museum für Gegenwart (museo contemporaneo), che con le sue mostre spettacolari rappresenta un punto di attrazione per gli amanti dell'arte moderna.

Das Jüdische Museum in Kreuzberg mit seiner eigenwilligen Architektur von Daniel Libeskind; vorn der dazugehörige »Garten des Exils und der Emigranten« mit den 49 Betonstelen; dahinter Wohnbauten, die im Rahmen der IBA 1984/87 entstanden.

The Jewish Museum in *Kreuzberg*, its unconventional architecture by Daniel Libeskind; in front, the museum's "garden of exile and emigrants" with its 49 concrete stelae; behind, housing built for the International Building Exhibition (IBA) of 1984-87.

Le musée juif de *Kreuzberg*, édifice original, conçu par Daniel Libeskind. Au premier plan le «jardin de l'exil et des émigrés» attenant au musée, avec ses 49 stèles en béton. Au fond, des logements crées dans le cadre de l'IBA (exposition internationale d'architecture).

El Museo Judío en el barrio de *Kreuzberg*, edificado de acuerdo con un proyecto arquitectónico de gran originalidad de Daniel Libeskind; delante de él se aprecia el «Jardín del Exilio y de los Emigrados», que forma parte del conjunto, con sus 49 estelas de concreto, al fondo, edificios habitacionales que se originaron en el marco de la IBA de 1984 a 1987.

Il museo ebraico a *Kreuzberg* con l'architettura eccentrica di Daniel Libeskind; in primo piano il «Giardino dell'esilio e degli emigrati» del museo con 49 stele di cemento. Dietro, le abitazioni costruite all'occasione della IBA 1984/87 (Mostra Internazionale dell'Edilizia).

Die nach den Plänen Schinkels wiederrichtete Schlossbrücke verbindet den Boulevard Unter den Linden mit der Karl-Liebknecht-Straße. Sie führt über die Spreeinsel, vorbei an Dom und Palast der Republik, in Richtung Alexanderplatz.

The *Schlossbrücke* bridge was reconstructed following the original plans of Schinkel and connects the boulevard *Unter den Linden* with *Karl-Liebknecht-Strasse*. It crosses the Spree island, passing the Cathedral and the Palace of the Republic towards *Alexanderplatz*.

Le *Schlossbrücke* (pont du château), reconstruit d'après les plans de Schinkel, relie le boulevard *Unter den Linden* à la *Karl-Liebknecht-Strasse*. Il enjambe l'île de la Spree, va en direction de la *Alexanderplatz* et passe à côté du *Berliner Dom* et du Palais de la République.

El *Schlossbrücke* (Puente del Castillo), reconstruido conforme a los planos de Schinkel, une la avenida *Unter den Linden* con la calle *Karl-Liebknecht-Strasse*. Ésta cruza la Isla del Spree, pasando entre la Catedral y el Palacio de la República, para continuar hacia la *Alexanderplatz*.

Il *Schlossbrücke* (ponte del castello) ricostruito su progetti di Schinkel collega il boulevard *Unter den Linden* con la *Karl-Liebknecht-Strasse*. Essa, in direzione dell' *Alexanderplatz*, porta sull'isola dello Spree passando per il Duomo ed il Palazzo della Repubblica.

Einbahnstraße

SPRINGER VERLAG
WELT

Blick von Kreuzberg auf das östliche Stadtzentrum. Links, an der Kochstraße, das Springer-Hochhaus, neben dem Fernsehturm der Turm des Roten Rathauses und rechts davon die Hochhäuser auf der Fischerinsel.

View from the *Kreuzberg* district across the east of the city centre. On the left, in *Kochstrasse*, are the high-rise offices of Springer media; next to the Television Tower is the *Rotes Rathaus* (City Hall), and to the right of that the residential blocks on *Fischerinsel* (Fishers' Island).

Vue depuis le quartier *Kreuzberg* vers l'est du centre de la ville. A gauche, près de la *Kochstrasse*, le building Springer. A côté de la tour de télévision, la tour de le *Rotes Rathaus* (hôtel de ville rouge) et à sa droite, les buildings de la *Fischerinsel* (île des pêcheurs).

Mirada desde *Kreuzberg* hacia la parte oriental del centro de la ciudad. A mano izquierda, junto a la *Kochstrasse*, se yergue el edificio de la editorial Springer, al lado de la Torre de Televisión se ve la torre del *Rotes Rathaus* (Ayuntamiento Rojo), y delante a la derecha de éste, el grupo de edificios altos en la *Fischerinsel* (Isla de Pescadores).

Veduta da *Kreuzberg* sul centro est della città. A sinistra, sulla *Kochstrasse*, il grattacielo di Springer, accanto alla torre televisiva la torre del *Rotes Rathaus* (Comune Rosso) ed a destra i grattacieli sulla *Fischerinsel* (isola del pescatore).

Rund um den Alexanderplatz entstand Ende der sechziger Jahre das Zentrum der »Hauptstadt der DDR« mit dem 365 Meter hohen Fernsehturm in der Mitte. Links davon die Marienkirche aus dem 13. Jahrhundert.

In the late 1960s, the centre of the "capital of the German Democratic Republic" developed around *Alexanderplatz*, its focus the 365-metre Television Tower. To the left of the Tower is the thirteenth-century *Marienkirche*.

Vers la fin des années 60, le centre de la « capitale de la RDA » se concentrait autour de la *Alexanderplatz*. Au milieu, la tour de la télévision avec ses 365 mètres de haut. A gauche, l'église *Marienkirche*, construite au 13ème siècle.

A finales de los años sesenta creció en torno a la *Alexanderplatz* el centro de la «capital de la RDA», con la Torre de Televisión, de 365 metros de altura, en el medio. A la izquierda se encuentra la *Marienkirche* (Iglesia de Sta. María), que data del siglo XIII.

Alla fine degli anni '60 si svillupò intorno all'*Alexanderplatz* il cuore della « capitale della RDT » con al centro la torre televisiva alta 365 metri. A sinistra la *Marienkirche* (chiesa di Maria) del 200.

FORUM HOTEL

Schon lange ein beliebter Treffpunkt auf dem Alexanderplatz: die Weltzeituhr. Die Straßenbahn überquert erst seit den neunziger Jahren wieder das Ost-Berliner Zentrum, das von Bauten der sechziger Jahre umrahmt wird.

The "World Clock" has long been a popular meeting spot in *Alexanderplatz.* Since the 1990s the tram has been crossing Berlin's eastern centre again, weaving through the 1960s buildings all around.

L'horloge universelle est depuis longtemps un lieu de rendez-vous apprécié sur la *Alexanderplatz.* Ce n'est que depuis les années 90 que le tramway traverse à nouveau le centre de Berlin-Est qui est encadré de bâtiments construits dans les années 60.

Desde hace tiempo ha gozado de gran popularidad como punto de encuentro el reloj en la *Alexanderplatz* que marca las horas en distintas partes del mundo. Apenas en los años noventa reiniciaron su servicio los tranvías que atraviesan el centro de Berlín Oriental, enmarcado por edificios de los años sesenta.

L'orologio mondiale sull'*Alexanderplatz* è già da molto un punto d'incontro amato. Solo a partire dagli anni '90 il tram attraversa di nuovo il centro di Berlino-Est che è circondato da edifici degli anni '60.

SHARP
TV VIDEO AUDIO
MONTREAL
HALIFAX
NEW ORLEANS
MEXIKO-STADT
WASHINGTON
NEW YORK
WESTGRÖNLAND
OSTGRÖNLAND
AZOREN
9
10
11
12
13
14
15
16
LA PAZ
ASUNCION
SANTIAGO.CHILE
QUITO
LIMA
SÃO PAULO
MONTEVIDEO
BUENOS AIRES
KAP VERDE
MANAGUA
Café & Biergarten
Alex

Das Rote Rathaus ist der Sitz des Regierenden Bürgermeisters und des Senats von Berlin. Das 1870 eingeweihte Gebäude befindet sich an derselben Stelle, wo schon im Mittelalter das Rathaus der Stadt stand.

The *Rotes Rathaus* (City Hall) is the seat of Berlin's Senate and Governing Mayor. Dedicated in 1870, it stands on the same spot as the medieval city hall.

Le *Rotes Rathaus* (hôtel de ville rouge), lieu où officie le maire en fonction et où siège le sénat de Berlin. L'édifice, inauguré en 1870, se trouve là où se situait l'hôtel de ville au Moyen Age.

El *Rotes Rathaus* (Ayuntamiento Rojo) es la sede oficial del alcalde gobernador y del senado de Berlín. El edificio, inaugurado en 1870, se encuentra en el mismo lugar en el que ya en la Edad Media se alzaba el ayuntamiento de la ciudad.

Il *Rotes Rathaus* (Comune Rosso) è la sede del borgomastro in carica e del Senato (giunta) di Berlino. Questo edificio fu inaugurato nel 1870 e si trova nello stesso posto, dove già nel Medioevo si trovava il Comune della città.

Museum
Knoblauch-
haus
Geschichte der
Familie Knoblauch
*
Stadtgeschichte Berlins
im 19. Jahrhundert
*
Sonderausstellungen
Eingang rechts
um die Ecke

Das Knoblauchhaus in der Poststraße beherbergt neben einem Museum die »Historischen Weinstuben«. Es ist eines der wenigen original erhaltenen Häuser im Nikolai-Viertel.

The Knoblauch house in *Poststrasse* is home to a museum and the wine bar "Historische Weinstuben". It is one of the few original buildings still standing in the Nikolai quarter.

La maison Knoblauch dans la *Poststrasse* héberge un musée, mais aussi la taverne « Historische Weinstuben ». Elle est l'un des rares bâtiments conservés en bon état du quartier Nikolai.

La Casa Knoblauch en la calle *Poststrasse* contiene, además de un museo, la taberna «Historische Weinstuben». Es una de las pocas casas que subsisten en su forma original en el barrio Nikolai.

Nella casa di Knoblauch sulla *Poststrasse* si trovano un museo e l'enoteca « Historische Weinstuben ». È una delle poche case originarie del quartiere Nikolai.

Contemporary Fine Arts
Contemporary Fine Arts
Contemporary Fine Arts
Contemporary Fine Arts
Contemporary Fine Arts
Contemporary Fine Arts
B
GALERIE SPLINTER

Nicht weit vom Hackeschen Markt befinden sich die Sophie-Gips-Höfe: mit ihren Cafés, Geschäften und der Galerie Hoffmann ein beliebter Treffpunkt für Kunstinteressierte in der Stadt.

Not far from *Hackescher Markt* is the Sophie Gips complex. Its courtyards with cafés, shops and the gallery Hoffmann make it a popular meeting point for the city's art-lovers.

A proximité du *Hackescher Markt* se trouvent les cours Sophie-Gips avec leurs cafés, leurs magasins et la galerie Hoffmann, qui est un point de rencontre pour les amateurs d'art.

A escasa distancia del *Hackescher Markt* se encuentran los *Sophie-Gips-Höfe*: estos patios con sus galerías, cafés y salones «de Sofía» son un lugar de encuentro preferido para las personas interesadas en las producciones artísticas.

In vicinanza del *Hackescher Markt* si trovano i *Sophie-Gips-Höfe* (cortili): con i loro caffé, negozi e la galleria Hoffmann che per gli interessati dell'arte è un punto d'incontro preferito della città.

Die Hackeschen Höfe, ein Komplex von acht Gewerbe- und Wohnhöfen, der sich bis zur Sophienstraße hinzieht, gehören zu den bekanntesten Touristenattraktionen in Berlins Mitte.

One of central Berlin's favourite tourist attractions, the *Hackesche Höfe* complex is made up of eight commercial and residential blocks with their inner courtyards. It stretches right through to *Sophienstrasse*.

Les *Hackesche Höfe*, un ensemble de huit cours, logements et commerces, s'étendent jusqu'à la *Sophienstrasse*. Ils font partie des attractions qu'apprécient les touristes dans le centre de Berlin.

Los *Hackesche Höfe* son un conjunto de ocho patios con restaurantes, comercios y viviendas que se extienden hasta la calle *Sophienstrasse* y que están consideradas entre las atracciones turísticas más conocidas del centro de Berlín.

I *Hackesche Höfe*, un complesso di otto cortili per l'artigianato ed abitazioni che si estende fino alla *Sophienstrasse*, figurano fra le attrazioni turistiche più conosciute del centro di Berlino.

ZEOBAR

Auf ein 1,3 Kilometer langes Stück Mauer entlang der Mühlenstraße malten Künstler aus Ost und West nach dem 9. November 1989 aus Freude über die Öffnung der Grenzen ihre Bilder. So entstand die »East Side Gallery«.

After the fall of the Wall on 9 November 1989, artists from East and West celebrated with paintings. The result can be seen on a piece of Wall that runs for 1.3 km along *Mühlenstrasse* – the "East Side Gallery".

Après l'ouverture des frontières le 9 novembre 1989, les artistes de l'Ouest comme de l'Est exprimaient leur joie en peignant sur un mur de 1,3 km le long de la *Mühlenstrasse* : la « East Side Gallery » était née.

Sobre un tramo del Muro de 1,3 kilómetros de longitud que se extiende a lo largo de la *Mühlenstrasse*, artistas del Este y del Oeste pintaron sus cuadros después del 9 de noviembre de 1989, animados por la alegría que les causó la apertura de las fronteras. Así nació la «East Side Gallery».

Ad Est ed Ovest, dopo il 9 novembre 1989 artisti realizzarono i loro dipinti – su un tratto del Muro della *Mühlenstrasse* lungo 1,3 chilometri – per esprimere la loro gioia per l'apertura delle frontiere. Nacque così la « East Side Gallery ».

DIE FLAGGE BA-
SIERT AUF DEM
HUMANISTISCHEN
GRUNDGEDANKEN
VON FRIEDEN UND
EINHEIT ALLER
VÖLKER.
SIE IST EINE AUS-
EINANDERSETZUNG
MIT DEM ERBE
ALLER DEUTSCHEN
GENERATIONEN
NACH DEM 2.
WELTKRIEG.
МИР
PEACE
FRIEDEN
RIPPER
DAVE
TIME BOMB:
ROSTOCK, MÖLLN
SOLINGEN, LÜBECK
HOYERSWERDA

Seit die ersten Bilder der »East Side Gallery« entstanden, haben viele Arbeiten der Freilichtgalerie ein neues Aussehen bekommen – sie sind verblasst oder auch durch weitere Malereien verändert worden.

Since the first of the "East Side Gallery's" pictures were painted, the appearance of many works in the open-air showcase has changed. They have faded or been added to by new paintings.

Depuis les premiers tableaux de la « East Side Gallery », plusieurs des œuvres de cette galerie de plein air ont changé d'aspect : certains se sont défraîchis, d'autres ont été transformés par des rajouts de peintures.

Desde la creación de los primeros cuadros de la «East Side Gallery», muchos trabajos de esta galería al aire libre han cambiado de aspecto – algunos palidecieron, mientras que otros fueron modificados por nuevas pinturas.

Da quando sono nate le prime illustrazioni della « East Side Gallery », molte opere della galleria all'aria aperta hanno cambiato volto – sbiadite oppure cambiate da ulteriori dipinti.

EAST-SIDE-HOTEL

Noch heute erinnert das Gelände hinter der »East Side Gallery« zwischen Ostbahnhof und Warschauer Straße mit dem gespenstisch wirkenden Hotel an die Zeiten, als hier Niemandsland war.

The eerie-looking hotel on the site behind the "East Side Gallery", between *Ostbahnhof* station and *Warschauer Strasse*, still recalls the days when this was No-Man's-Land.

Le terrain derrière la « East Side Gallery », entre *Ostbahnhof* et la *Warschauer Strasse*, rappelle avec son hôtel sinistre les temps où cet endroit était un « no man's land ».

El área que se encuentra detrás de la «East Side Gallery», entre la Estación Ferroviaria de *Ostbahnhof* y la calle de *Warschauer Strasse*, con este hotel de aspecto fantasmal, recuerda hasta el día de hoy las épocas en que esta zona era tierra de nadie.

L'area dietro la « East Side Gallery » fra il *Ostbahnhof* e la *Warschauer Strasse*, con un albergo dall'aspetto sinistro, ricorda tuttora i tempi in cui questa fu terra di nessuno.

EAST-SIDE-HOTEL

Wie ein Lichtstreifen erscheint die fahrende U-Bahn auf der Oberbaumbrücke, Bindeglied zwischen den einstigen Bezirken Kreuzberg und Friedrichshain über die Spree.

Like a streak of light, a metro train crosses the *Oberbaumbrücke* bridge. This bridge over the River Spree connects the neighbourhoods of *Kreuzberg* and *Friedrichshain*.

Le métro passe, tel un éclair de lumière, sur la *Oberbaumbrücke*, ce pont crée un lien au-dessus la Spree entre les anciens quartiers *Kreuzberg* et *Friedrichshain*.

Como una franja de luz aparece el tren del metro en el puente *Oberbaumbrücke*, que vincula a *Kreuzberg* con *Friedrichshain*, situados en las dos orillas opuestas del río Spree, y que hasta hace poco constituían dos distritos separados.

La metropolitana appare come una strisca di luce sul *Oberbaumbrücke*, che sorpassando il fiume Spree unisce gli ex-quartieri *Kreuzberg* e *Friedrichshain*.

Blick von der Oberbaumbrücke in Richtung Osten auf den neuen Büroturm der »Treptowers« und die Molecule Men von Jonathan Borofsky, die auf dem Wasser der Spree zu schweben scheinen.

View from the walkway of the *Oberbaumbrücke* bridge, eastwards to the "Treptowers" office development in Treptow and the "Molecule Men" by artist Jonathan Borofsky, which seem to float on the waters of the Spree.

Vue depuis la *Oberbaumbrücke* en direction de l'est vers les nouvelles tours de bureaux, les « Treptowers » et les « Molecule Men » de Jonathan Borofsky, qui semblent effleurer l'eau de la Spree.

Mirando desde el *Oberbaumbrücke* hacia oriente, uno ve la nueva torre de oficinas «Treptowers» y los «Molecule Men» de Jonathan Borofsky, que parecen estar flotando encima de las aguas del Spree.

Veduta dal *Oberbaumbrücke* verso est sulla nuova torre d'uffici degli « Treptowers » ed i « Molecule Men » di Jonathan Borofsky, che sembrano librarsi sull'acqua dello Spree.

Blick von der Oberbaumbrücke in Richtung Westen, auf die Silhouette der Innenstadt. Rechts neben dem Fernsehturm die Hochhäuser von Charité und Forum Hotel, links die Türme der Marienkirche, des Rat- und des Stadthauses.

View west from the *Oberbaumbrücke* onto the city centre skyline. On the right, next to the Television Tower, the high-rise Charité hospital and the Forum Hotel; on the left the towers of *Marienkirche*, the city hall and its accompanying *Stadthaus*.

Vue depuis la *Oberbaumbrücke* en direction de l'ouest vers la silhouette du centre ville. A droite : à côté de la tour de la télévision, les deux buildings : le Charité et le Forum Hotel. A gauche : les tours de l'église *Marienkirche*, de l'hôtel de ville et du *Stadthaus*.

Mirando desde el puente *Oberbaumbrücke* hacia el oeste, se ve la silueta del centro de la ciudad. A la derecha de la Torre de Televisión, aparecen los edificios de la Charité y del Forum Hotel, a la izquierda, las torres de la *Marienkirche* (Iglesia de Sta. María), del Ayuntamiento y de un edificio que alberga oficinas de la administración municipal.

Vista dal *Oberbaumbrücke* verso ovest sul profilo del centro. A destra della torre televisiva i grattacieli della Charité e del Forum Hotel, a sinistra, le torri della *Marienkirche* (chiesa di Maria), del Comune e del Municipio.

Von der Warschauer Brücke aus schaut man in Richtung Westen über das sich weit erstreckende Bahngelände vor dem Ostbahnhof, einem der wichtigen Fernbahnhöfe Berlins. Im Hintergrund die Häuser der Innenstadt.

View west from the *Warschauer Brücke* bridge across the extensive railway development around *Ostbahnhof*, one of Berlin's key main-line stations. In the background, the buildings of the city centre.

Depuis le pont *Warschauer Brücke*, en regardant vers l'ouest, on aperçoit un vaste terrain ferroviaire devant le *Ostbahnhof*, l'une des plus importantes gares grandes lignes de Berlin. Au fond, les maisons du centre ville.

Desde el puente *Warschauer Brücke* se mira hacia el este sobre el vasto terreno ferroviario delante de la *Ostbahnhof*, uno de los más importantes puntos de llegada de trenes de larga distancia que hay en Berlín. Al fondo, los edificios del centro de la ciudad.

Dal *Warschauer Brücke* lo sguardo va verso Ovest volando al di sopra dell'immensa area ferroviaria di fronte all'*Ostbahnhof*, una delle stazioni internazionali più importanti di Berlino. Sullo sfondo gli edifici del centro.

S-Bahn-Spiegelung in der Fassade des Neuen Kranzler-Ecks, einem 16-geschossigen Gebäudekomplex zwischen Kantstraße und Kurfürstendamm; dahinter das Theater des Westens.

An *S-Bahn* train reflected in the façade of the *Neues Kranzler-Eck* (New Kranzler Corner), a 16-storey complex between *Kantstrasse* and *Kurfürstendamm*; behind it the *Theater des Westens* (Theatre of the West).

Reflet de la *S-Bahn* dans la façade du *Neues Kranzler-Eck* (Nouveau Angle du Kranzler), un building de 16 étages entre la *Kantstrasse* et le *Kurfürstendamm* ; derrière, on aperçoit le *Theater des Westens* (Théâtre du Ouest).

El tren urbano se refleja en la fachada del *Neues Kranzler-Eck* (Nuevo Angulo del Kranzler), un conjunto de edificios de 16 pisos de altura que se encuentra entre las calles de *Kantstrasse* y *Kurfürstendamm*; atrás de él se ve el *Theater des Westens* (Teatro de Occidente).

La *S-Bahn* (ferrovia metropolitana) si rispecchia nella facciata del *Neues Kranzler-Eck* (nuovo angolo del Kranzler), un complesso di edifici con 16 piani che si trova fra la *Kantstrasse* ed il *Kurfürstendamm*; dietro di esso il *Theater des Westens* (teatro dell'Ovest).

Berlin Friedrichstraße

Blick vom S-Bahnhof Friedrichstraße auf das Reichstagsgebäude. In den Jahrzehnten der deutschen Teilung war dieser S-Bahnhof der wohl bekannteste Grenzübergang zwischen Ost und West.

View from the *S-Bahn* station *Friedrichstrasse* onto the *Reichstag* building. In the years of Germany's division, this station was probably the best-known border crossing between East and West.

Vue depuis la station de *S-Bahn Friedrichstrasse*, sur le bâtiment du *Reichstag*. Durant les décennies de la séparation de l'Allemagne, cette station était certainement le poste frontière le plus connu entre l'Est et l'Ouest.

Vista del edificio del *Reichstag* desde la estación *Friedrichstrasse* del ferrocarril urbano. En las décadas de la división alemana, esta estación probablemente haya sido el paso fronterizo más conocido entre el Este y el Oeste.

Vista dal *S-Bahnhof Friedrichstrasse* sull'edificio del *Reichstag*. Durante i decenni della divisione tedesca questa stazione della *S-Bahn* fu senza dubbio il posto di frontiera più conosciuto fra Est ed Ovest.

U-Bhf Kurfürst
avida
www.avida-berlin.de
Andere Postleitzahlen
Gelbanlage*
*Mehr Wert im Dax: AKTIE GELB
Andere Postleitzahlen

U-Bahn-Eingang am Kurfürstendamm, Ecke Joachimstaler Straße – eine der belebtesten und bekanntesten Kreuzungen im Westen der Stadt.

Entrance to the metro at the corner of *Kurfürstendamm* and *Joachimstaler Strasse* – one of the liveliest and most popular street corners in the west of the city.

La bouche de métro au *Kurfürstendamm*, angle *Joachimstaler Strasse* : l'un des carrefours les plus animés et les plus connus dans l'ouest de la ville.

Entrada del metro en la esquina de *Kurfürstendamm* con *Joachimstaler Strasse* – uno de los cruces más conocidos y de mayor movimiento en el occidente de la ciudad.

L'entrata alla metropolitana sul *Kurfürstendamm* all'angolo della *Joachimstaler Strasse* – una degli incroci più vivaci e conosciuti nell'Ovest della città.

KARSTADT
Neues
Kranzler Eck
KAR

Fernbahnen und S-Bahnzüge überqueren hier die Kantstraße bei der Ausfahrt aus dem Bahnhof Zoologischer Garten. Dahinter das Dach des Theaters des Westens, links das Kantdreieck, entworfen von Josef Paul Kleihues.

Main-line trains and the *S-Bahn* cross *Kantstrasse* as they leave *Zoologischer Garten* station. In the background, the roof of the *Theater des Westens*; on the left the new *Kantdreieck* (Kant Street Triangle) by architect Josef Paul Kleihues.

Ici, en sortant de la gare *Zoologischer Garten*, les trains grandes lignes et les trains de la *S-Bahn* traversent la *Kantstrasse.* Au fond, le toit du *Theater des Westens.* A gauche, le *Kantdreieck* (Triangle de Kant), conçu par Josef Paul Kleihues.

En este punto, los trenes urbanos y de larga distancia suelen cruzar la *Kantstrasse* al salir de la Estación Ferroviaria del *Zoologischer Garten.* Al fondo se ve el techo del *Theater des Westens*, a la izquierda el *Kantdreieck* (Triángulo de Kant), diseñado por Josef Paul Kleihues.

All'uscita della stazione *Zoologischer Garten* treni internazionali e ferrovie metropolitane attraversano la *Kantstrasse.* A sinistra, dietro il tetto del *Theater des Westens*, il *Kantdreieck* (triangolo di Kant) progettato di Josef Paul Kleihues.

H

Auf einem Viadukt, das schon im 19. Jahrhundert angelegt wurde, durchfahren die Züge Berlins Innenstadt; hier nahe dem S-Bahnhof Friedrichstraße.

The trains run through Berlin's centre on a viaduct dating back to the nineteenth century. This section is close to *Friedrichstrasse S-Bahn* station.

Les trains traversent le centre de Berlin sur un viaduc, crée dès le 19ème siècle. Comme ici, près de la station de *S-Bahn Friedrichstrasse*.

En un viaducto construido ya en el siglo XIX, los trenes atraviesan el centro de Berlín, aquí se aprecia un punto cercano a la estación de trenes urbanos *Friedrichstrasse*.

Su un viadotto costruito già nel 800 i treni attraversano il centro di Berlino; vicino al viadotto la stazione della *S-Bahn Friedrichstrasse*.

GERRY WEBER
GERRY WEBER
LINDEX
LINDEX

Einst gehörte das »Kranzler« an der Ecke Kurfürstendamm, Joachimstaler Straße zu den berühmtesten Berliner Kaffeehäusern, jetzt ist es nur noch Fragment im riesigen Neuen Kranzler-Eck von Architekt Helmut Jahn.

Once, *Café Kranzler* on *Kurfürstendamm* and *Joachimstaler Strasse* was among the most famous of Berlin's coffee-houses. Now it's just one part of the huge *Neues Kranzler-Eck* by architect Helmut Jahn.

Le «Kranzler» à l'angle de la rue *Kurfürstendamm* et *Joachimstaler Strasse* fut jadis l'un des cafés les plus réputés de Berlin. Aujourd'hui il n'est plus qu'un fragment du gigantesque complexe du *Neues Kranzler-Eck*, conçu par l'architecte Helmut Jahn.

En tiempos pasados, el «Kranzler», ubicado en la esquina de *Kurfürstendamm* con *Joachimstaler Strasse*, era uno de los cafés más famosos de Berlín, ahora ya no es más que un fragmento dentro del gigantesco *Neues Kranzler-Eck* del arquitecto Helmut Jahn.

Il «Kranzler», all'angolo *Kurfürstendamm* e *Joachimstaler Strasse,* annoverato in passato fra i caffè più famosi di Berlino. Ormai è solo un frammento del gigantesco *Neues Kranzler-Eck* opera dell'architetto Helmut Jahn.

B.Z.
RA-MICRO
KANZLEISOFTWARE
BERLI

Der fotografische Blick auf den einsamen Pantomimen täuscht: Straßenkünstler und unzählige Touristen beleben in den Sommermonaten den Breitscheidplatz zwischen Gedächtniskirche und Europa Center.

The camera's view of a solitary pantomime artist is deceptive: in the summer months, *Breitscheidplatz* is crowded with street artists and tourists bustling between the *Gedächtniskirche* (Memorial Church) and the *Europa Center.*

Le regard de l'appareil photo sur ce mime solitaire est trompeur : les artistes et touristes sont nombreux à animer l'été la *Breitscheidplatz*, place située entre le *Gedächtniskirche* (l'église du souvenir) et le *Europa Center.*

Resulta engañosa la mirada fotográfica que capta a un pantomimo solitario: en los meses de verano, la *Breitscheidplatz*, entre la *Gedächtniskirche* (Iglesia Conmemorativa) y el *Europa Center*, es un foco de vida incesante gracias a los artistas ambulantes y los innumerables turistas que la animan.

La vista fotografica dei mimi solitari inganna: nei mesi estivi gli artisti di strada e innumerevoli turisti animano il *Breitscheidplatz* fra la *Gedächtniskirche* (chiesa commemorativa) e l'*Europa Center.*

BERLINER
Pioneer

Über den Dächern der City West: links die Kaiser-Wilhelm-Gedächtniskirche und weithinleuchtend das Europa Center. Anfang der sechziger Jahre errichtet, war es lange Zeit ein Symbol für das moderne West-Berlin.

Across the rooftops of the west end: on the left the *Kaiser-Wilhelm-Gedächtniskirche* and the *Europa Center*, its lights visible from afar. Built in the early 1960s, for a long time the Center was a symbol of modern West Berlin.

Au-delà des toits de la City West : à gauche, l'église *Kaiser-Wilhelm-Gedächtniskirche* et l'éclat du *Europa Center*, visible de loin. Il a été construit au début des années 60 et symbolisait la modernité de Berlin-Ouest.

Encima de los tejados del centro de Berlín Occidental: a la izquierda, están la *Kaiser-Wilhelm-Gedächtniskirche* y el *Europa Center*, cuyas luces pueden verse desde lejos. Edificado a comienzos de los años sesenta, fue durante largo tiempo un símbolo del moderno Berlín Occidental.

Sopra i tetti della City-Ovest: a sinistra la *Kaiser-Wilhelm-Gedächtniskirche* e, da lontano, il luminoso *Europa Center.* Costruito all'inizio degli anni '60 fu per lungo tempo un simbolo della modernità di Berlino-Ovest.

Innenraum der Kaiser-Wilhelm-Gedächtniskirche, 1961-63 nach Plänen von Egon Eiermann an Stelle der im Zweiten Weltkrieg zerstörten Kirche errichtet. Von der Ruine blieb als mahnendes Symbol nur der Turm erhalten.

Inside the *Kaiser-Wilhelm-Gedächtniskirche*. The new church was built in 1961-63 by Egon Eiermann, on the site of the church destroyed in the Second World War. Only the ruin's broken spire was left standing, as a warning to future generations.

L'intérieur de l'église *Kaiser-Wilhelm-Gedächtnis-kirche*, construite entre 1961 et 1963 selon les plans d'Egon Eiermann sur l'emplacement de l'ancienne église détruite pendant la seconde guerre mondiale. De la ruine ne subsiste qu'une tour, mémorial symbolique.

Espacio interior de la *Kaiser-Wilhelm-Gedächtnis-kirche*, edificada entre 1961 y 1963 según di-seños de Egon Eiermann, en el lugar de la igle-sia que quedó destruida en la Segunda Guerra Mundial. De la ruina, permanece únicamente la torre como símbolo recordatorio y de advertencia.

L'interno della *Kaiser-Wilhelm-Gedächtniskirche*, eretta fra il 1961 ed il 1963 su progetto di Egon Eiermann, sul luogo della chiesa distrutta nella Seconda Guerra Mondiale. Delle rovine è stata conservata solo la torre, quale ammonizione sim-bolica.

OPTIK

Idyllischer Platz in einer Berliner Altbaugegend. Jahrzehntelang vernachlässigt – besonders im Ostteil der Stadt –, werden viele der alten Häuser nun aufwendig saniert und zu begehrten, luxuriösen Wohnquartieren.

Idyllic square in an area of pre-war Berlin housing. Neglected for decades, especially in the city's eastern half, many such buildings are now being painstakingly modernised to make highly desirable, luxurious residential complexes.

Une place pittoresque dans un vieux quartier. Ces maisons anciennes ont longtemps été négligées – surtout dans la partie Est de la ville – aujourd'hui elles sont entièrment rénovées et ont été transformées en habitations de luxe très recherchées.

Plaza idílica en una zona de Berlín caracterizada por las construcciones antiguas. Aunque durante décadas se les dejó en el mayor abandono – especialmente en la parte oriental de la ciudad –, muchos de estos edificios antiguos están siendo restaurados ahora con un considerable desembolso de dinero, convirtiéndolas en viviendas de lujo muy solicitadas.

Una piazza idiliaca in un quartiere berlinese dai vecchi edifici. Soprattutto nella parte est della città, numerose case vecchie, trascurate per decenni, vengono adesso risanate in maniera dispendiosa e diventano alloggi di lusso molto richiesti.

Auf dem ehemaligen Grenzstreifen zwischen Prenzlauer Berg im Osten und dem Wedding im Westen wurde in den neunziger Jahren der Mauerpark angelegt: Gedenkstätte und Erholungsgebiet in einem.

On the former border strip between the districts of *Prenzlauer Berg* in the east and *Wedding* in the west, a "Wall Park" was laid out in the 1990s. It serves as both a memorial and a recreation area.

Le Parc du Mur fut conçu dans les années 90 dans l'ancien secteur frontalier, entre *Prenzlauer Berg* à l'est et *Wedding* à l'ouest, il est à la fois un mémorial et un lieu de repos.

En el terreno ocupado anteriormente por la franja fronteriza entre los barrios de *Prenzlauer Berg* en Oriente y *Wedding* en Occidente, se estableció, en los años noventa, el Parque del Muro, al mismo tiempo lugar conmemorativo y área de recreo.

Negli anni '90 venne costruito il Parco del Muro sulla striscia della frontiera di una volta, fra il *Prenzlauer Berg* ad est ed il *Wedding* ad ovest: nello stesso tempo monumento commemorativo e zona di tempo libero.

Die Gewächshäuser des Botanischen Gartens im goldenen Glanz der Nachmittagssonne. Die Glashäuser entstanden Anfang des 20. Jahrhunderts, als der Garten aus der immer enger werdenden Stadt nach Steglitz verlegt wurde.

The greenhouses of the Botanical Gardens, gleaming in the afternoon sunshine. They were built in the early twentieth century, when lack of space in the city centre meant the Gardens had to be moved out to the suburb of *Steglitz*.

Les serres du jardin botanique dans la lumière dorée d'un après-midi. Elles ont été installées au début du 20ème siècle, à un moment où – le centre ville devenant trop étroit – le jardin a été déménagé à *Steglitz*.

Los invernaderos del Jardín Botánico, reflejando los rayos dorados del sol del atardecer. Estas construcciones hechas casi totalmente de vidrio se crearon a comienzos del siglo XX, cuando el jardín fue trasladado desde la ciudad a *Steglitz*, porque en su ubicación anterior el espacio era cada vez más estrecho.

Le serre del Giardino Botanico nello splendore aureo del sole pomeridiano. Le case di vetro furono costruite all'inizio del 900 quando il Giardino fu spostato dalla città, diventata sempre più stretta, a *Steglitz*.

Abendstimmung an der Havel, im Hintergrund der Grunewaldturm. Der Aussichtsturm auf dem Karlsberg im Wilmersdorfer Grunewald wurde am 9. Juni 1899 eingeweiht – »gewidmet König Wilhelm«.

Evening light on the Havel River; in the background the *Grunewaldturm*. This viewing tower was built on *Karlsberg* hill in *Grunewald*, *Wilmersdorf*, and dedicated "To King William" on 9 June 1899.

Lumières du soir sur les bords de la Havel, au fond la *Grunewaldturm*. Cette tour panoramique sur le *Karlsberg*, dans la forêt de *Grunewald* (quartier de *Wilmersdorf*) fut inaugurée le 9 juin 1899 et dédiée « à l'empereur Guillaume ».

El río Havel al caer la noche, en el fondo, la Torre de *Grunewald*. Este mirador se alza sobre la colina de *Karlsberg* en el bosque de *Grunewald*, que a su vez pertenece al barrio de *Wilmersdorf*, y se inauguró el 9 de junio de 1899 – con una dedicatoria «al rey Guillermo».

Atmosfera serale sulla sponda dell'Havel. Sullo sfondo, nel *Grunewald* di *Wilmersdorf* (quartiere di Berlino), la torre *Grunewald* del *Karlsberg* (monte di Carlo), inaugurata il 9 giugno 1899 – dedicata « al Re Guglielmo ».

Die Glienicker Brücke, die Berlin und Potsdam verbindet, von der Potsdamer Seite aus gesehen. Als Grenze zwischen Ost und West war sie einst Symbol des Kalten Krieges: Hier tauschten die Militärs der verfeindeten Blöcke ihre Spione aus.

The *Glienicker Brücke* bridge connects Berlin and Potsdam. The view is from the Potsdam side. As a border crossing between East and West, the bridge was once a Cold War symbol – the enemy blocs used it to exchange their spies.

Le pont de Glienicke reliant Berlin à Potsdam, vue depuis Potsdam. Frontière entre l'Est et l'Ouest, elle fut jadis le symbole de la Guerre Froide, c'est là que les militaires des deux blocs échangeaient leurs espions.

El puente de Glienicke, que vincula a Berlín con Potsdam, visto desde el lado de Potsdam. Cuando este puente marcaba la frontera entre el Este y el Oeste, era un símbolo de la Guerra Fría. Aquí, los militares de los bloques enemigos intercambiaban sus espías.

Il ponte di Glienicke, che collega Berlino e Potsdam, visto dalla parte di Potsdam. Come frontiera fra Est ed Ovest era una volta il simbolo della Guerra Fredda: i militari dei blocchi ostili vi scambiavano le loro spie.

Historischer Hafen am Märkischen Ufer, zwischen Jannowitzbrücke und Fischerinsel. Am gegenüberliegenden Spreeufer entstehen die niederländische Botschaft und ein weiteres Gebäude nach Entwürfen von Rem Koolhaas.

Historic port at *Märkisches Ufer*, between *Jannowitzbrücke* bridge and *Fischerinsel* (Fishers' Island). On the opposite bank of the River Spree, the Dutch Embassy and another building, both designed by architect Rem Koolhaas, are under construction.

Un port, situé *Märkisches Ufer* (Quai de la Marche), entre *Jannowitzbrücke* et la *Fischerinsel* (île des pêcheurs). En face au bord de la Spree, se construit l'ambassade néerlandaise et un autre bâtiment selon les plans de Rem Koolhaas.

Puerto histórico en la orilla *Märkisches Ufer*, entre el puente *Jannowitzbrücke* y la *Fischerinsel.* En la orilla opuesta del Spree se están construyendo la embajada de los Países Bajos y otro edificio, según diseños de Rem Koolhaas.

Porto storico all'*Märkisches Ufer* (riva) fra il *Jannowitzbrücke* e la *Fischerinsel* (isola del pescatore). Di fronte, sulla sponda dello Spree, sono in costruzione, su progetti di Rem Koolhaas, l'ambasciata olandese ed un'altro edificio.

HELENE

Lothar Heinke, geboren 1934 in Berlin. Nach einer Lehre als Schriftsetzer wurde er Lokalreporter in Halle, besuchte parallel dazu eine Journalistenschule. 1959 ging er als Leiter der Lokalredaktion zum *Morgen*, der Zeitung der Liberal-Demokratischen Partei in der DDR. Später arbeitete er dort als Chefreporter und Ressortleiter. 1991 wechselte er zum Berliner *Tagesspiegel*.

Torsten Andreas Hoffmann, geboren 1956 in Düsseldorf. Er studierte 1977-83 Kunstpädagogik mit Schwerpunkt Fotografie bei Michael Ruetz und arbeitet seit 1988 freischaffend als Fotograf. Seine Arbeiten wurden auf verschiedenen Ausstellungen gezeigt und in zahlreichen Büchern (u.a. »New York, New York«, Kunstverlag Weingarten 2002) und Zeitschriften (u.a. *Geo-Saison*, *Merian*, *Chrismon*) veröffentlicht. www.t-a-hoffmann.de

Lothar Heinke, né en 1934 à Berlin. Après avoir effectué un apprentissage de typographe, il devient reporter dans un journal local à Halle tout en suivant des cours dans une école de journalisme. En 1959, il prend le poste de directeur de la rédaction locale du *Morgen*, le journal du parti libéral-démocrate en RDA. Plus tard il y travaille en tant que reporter en chef et chef de rubrique. En 1991 il rejoint le Berliner *Tagesspiegel*.

Torsten Andreas Hoffmann est né en 1956 à Düsseldorf. De 1977 à 1983 il suit un cursus artistique et étudie tout particulièrement la photographie chez Michael Ruetz. Depuis 1988 il travaille comme photographe indépendant. Ses travaux ont fait l'objet de plusieurs expositions et livres (« New York, New York », édition Kunstverlag Weingarten 2002). Et ont été publiés dans des magazines (entre autres *Geo-Saison*, *Merian*, *Chrismon*). www.t-a-hoffmann.de

Lothar Heinke, nato nel 1934 a Berlino. Dopo la sua formazione di compositore diventa cronista ad Halle e frequenta contemporaneamente una scuola di giornalismo. Nel 1959 comincia come direttore della redazione locale del *Morgen* – il giornale del partito democratico-liberale nel periodo della RDT –, per poi diventarne più tardi il corrispondente capo e caposezione. Dal 1991 lavora al giornale Berliner *Tagesspiegel*.

Torsten Andreas Hoffmann, nato nel 1956 a Düsseldorf. Fra il 1977 ed il 1983 studio di pedagogia dell'arte con disciplina principale la fotografia di Michael Ruetz. Dal 1988 fotografo free lance. I suoi lavori, esposti in molte mostre, sono pubblicati in numerosi libri (« New York, New York », Kunstverlag Weingarten 2002), riviste (fra l'altro *Geo-Saison*, *Merian*, *Chrismon*). www.t-a-hoffmann.de

Lothar Heinke, born in Berlin in 1934. After training as a typesetter, he worked as a local reporter in Halle while attending journalism college. In 1959 he became editor of the local section of the *Morgen*, the paper of the Liberal Democratic Party in East Germany. He was the chief reporter and head of department of the *Morgen*, and in 1991 moved to the Berlin daily *Tagesspiegel*.

Torsten Andreas Hoffmann, born in Düsseldorf in 1956. From 1977-83 he studied art education, specialising in photography, with Michael Ruetz, and has been working as a freelance photographer since 1988. His work has been widely exhibited and published in books (including "New York, New York", Kunstverlag Weingarten, 2002), portfolios and journals (including *Geo-Saison*, *Merian*, *Chrismon*). www.t-a-hoffmann.de

Lothar Heinke nació en Berlín en 1934. Después de aprender el oficio de tipógrafo, trabajó como reportero de noticias locales en Halle, asistiendo al mismo tiempo a una escuela de periodismo. A partir de 1959, fue jefe de la redacción local del *Morgen*, periódico del Partido Liberaldemócrata de la RDA, y posteriormente se desempeñó como reportero en jefe del *Morgen*. En 1991, se cambió al diario berlinés *Tagesspiegel*.

Torsten Andreas Hoffmann nació en Dusseldorf en 1956. De 1977 a 1983 estudió pedagogía del arte con el maestro Michael Ruetz, dedicándose especialmente a la fotografía, y a partir de 1988 trabajó como fotógrafo independiente. Sus trabajos se mostraron en varias exposiciones y se publicaron en numerosos libros («New York, New York», editorial Kunstverlag Weingarten 2002) y en revistas (tales como *Geo-Saison*, *Merian* y *Chrismon*, entre otras).